A CADA CUAL, LO SUYO

colección andanzas

Libros de Leonardo Sciascia en Tusquets Editores

ANDANZAS

1912+1
La bruja y el capitán
El Consejo de Egipto
Puertas abiertas
Todo modo
El caballero y la muerte
Una historia sencilla
Cándido
o Un sueño siciliano
El contexto
Los tíos de Sicilia
Los apuñaladores
La desaparición de Majorana
El día de la lechuza
A cada cual, lo suyo

FÁBULA

El Consejo de Egipto
Todo modo
El contexto
1912+1
Los tíos de Sicilia
Una historia sencilla
Cándido
o Un sueño siciliano
El caballero y la muerte
Puertas abiertas
La bruja y el capitán
Los apuñaladores

AFUERAS

Horas de España

LEONARDO SCIASCIA
A CADA CUAL, LO SUYO

Traducción de Juan Manuel Salmerón

TUSQUETS EDITORES

Título original: *A ciascuno il suo*

1.ª edición: febrero de 2009

Diseño de la colección: Guillemot-Navares
Reservados todos los derechos de esta edición para
Tusquets Editores, S.A. - Cesare Cantù, 8 - 08023 Barcelona
www.tusquetseditores.com
ISBN: 978-84-8383-146-5
Depósito legal: B. 300-2009
Fotocomposición: Foinsa-Edifilm, S.L.
Impresión: Liberdúplex, S.L.
Encuadernación: Reinbook
Impreso en España

Índice

Mas no crean que voy a revelar ningún misterio
ni a escribir una novela.

E.A. Poe, *Los crímenes de la calle Morgue*

I

La carta llegó con el reparto de la tarde. El cartero dejó primero en el mostrador, como hacía siempre, el fajo multicolor del correo publicitario, y luego, con cuidado, como si pudiera explotar, la carta: sobre amarillo, dirección impresa en un papelito rectangular blanco pegado al sobre. Y dijo:

–Esta carta no me gusta.

El farmacéutico alzó la vista del periódico, se quitó las gafas, preguntó, con curiosidad y cierta irritación:

–¿Qué?

–Digo que esta carta no me gusta. –Y con el índice, lentamente, la deslizó por el mostrador de mármol en dirección al farmacéutico.

El farmacéutico se inclinó y miró la carta sin cogerla; luego se irguió, se puso las gafas, la miró otra vez.

–¿Y por qué no te gusta?

–La han echado aquí mismo, en el pueblo, anoche o esta mañana temprano; la dirección la han recortado de un papel timbrado de la farmacia.

–Ya veo –confirmó el farmacéutico, y se quedó mirando al cartero inquieto y azorado, como si esperase que explicara o decidiera algo.

–Es un anónimo –dijo el cartero.

–Un anónimo –repitió el farmacéutico. Aún no la había tocado y ya venía aquella carta a destruir su vida doméstica, a fulminar a la mujer no muy guapa, ni muy joven, ni muy limpia, a la que tenía preparando en la cocina el cabrito al horno de la cena.

–Aquí siempre con la manía de los anónimos –dijo el cartero.

Había dejado la cartera en una silla y se había apoyado en el mostrador: esperaba a que el farmacéutico abriera la carta. Se la traía intacta, sin haberla abierto él primero (con todas las precauciones, desde luego), fiado en la amabilidad e ingenuidad del destinatario: «Si es cosa de cuernos no me lo dirá, pero si es una amenaza o algo así, me la enseña». Irse sin saber algo no se iría; tenía tiempo.

–¿Un anónimo dirigido a mí? –dijo el farmacéutico tras un largo silencio, en tono de asombro e indignación, pero con cara de espanto; pálido, ojos extraviados, gotas de sudor en el labio.

Aparte de la viva curiosidad que lo devoraba, también el cartero sentía el mismo estupor e indignación: el farmacéutico era un buen hombre, con un gran corazón, que fiaba a los clientes y dejaba vivir tranquilos a los campesinos de las tierras que poseía por dote de la esposa..., de quien, por cierto, tampoco había oído nunca hablar mal.

Por fin se decidió el farmacéutico: tomó la carta, la abrió, desdobló el papel. Y el cartero vio lo que se temía: que la habían escrito con palabras recortadas del periódico.

El farmacéutico apuró de un trago el amargo cáliz; dos líneas, poco. Pero dijo como aliviado, casi de buen humor:

–Oye esto...

«No es cosa de cuernos», pensó el cartero.

–¿Qué? ¿Una amenaza?

–Una amenaza –confirmó el de la farmacia, y le pasó la carta.

El cartero la tomó con ansia, leyó en voz alta: «ESTA CARTA ES TU SENTENCIA DE MUERTE, MORIRÁS POR LO QUE HAS HECHO»; la dobló, la dejó en el mostrador, dijo:

–Es una broma. –Y lo pensaba de veras.

–¿Crees que es una broma? –le preguntó el farmacéutico, no sin cierta angustia.

–¿Qué, si no? Una broma. Hay personas a las que les escuecen los cuernos y les da por gastar estas bromas. No eres el primero. A otros los llaman por teléfono.

–Ya, como a mí. Suena de noche el teléfono, contesto y me sale una mujer preguntando si he perdido un perro, que han encontrado uno azul y rosa y le han dicho que era mío; bromas. Pero esto es una amenaza de muerte.

–Es lo mismo –afirmó el cartero con suficiencia; cogió la cartera y dijo para despedirse–: No te preocupes.

–No me preocupo –contestó el farmacéutico... cuando el otro ya había salido.

Pero se preocupaba. La broma era más bien pesada... si era una broma. ¿Y qué otra cosa podía ser? Él no estaba peleado con nadie; no se metía en política, ni siquiera de política hablaba, y lo que votaba era un secreto para todos –al partido socialista en las generales, por tradición familiar y recuerdo de juventud; al demócrata cristiano en las municipales, por amor al pueblo, que con administración democristiana siempre sacaba algo al gobierno, y por evitar el impuesto sobre la renta familiar que los partidos de izquierdas amenazaban con implantar–; y no discutía con nadie: los de derechas creían que era de derechas, los de izquierdas, de izquierdas. Aparte de que mezclarse en política era perder el tiempo, y quien no lo viera así o era que le convenía, o era que estaba ciego. En fin, que vivía tranquilo. Aunque ya sólo por esto podían haberle escrito el anónimo: algún malicioso sin oficio ni beneficio con ganas de inquietar, de asustar a una persona tan tranquila. Otra razón también podía haberla en la única gran pasión que tenía: la caza. Ya se sabe lo envidiosos que son los cazadores: basta que tenga uno un buen hurón, o un buen perro, para que lo odien todos los del pueblo, incluidos los amigos, los que salen a cazar con uno y todas las tardes vienen de tertulia a la farmacia. Casos de perros de caza envenenados había habido muchos en el pueblo: amo que al atardecer se descuide dejando un rato suelto a un buen animal, amo que se expone a encontrarlo tendido por obra de la estricnina. Y no faltaría quien relacionase la estricnina con la farmacia; injustamente, desde luego, injustamente: porque para él, el farmacéutico Manno, los perros eran sagrados, sobre todo los buenos cazadores, propios o ajenos, lo mismo daba. A los propios no se los envenenarían, por cierto. Once tenía, casi todos podencos, bien alimentados y cuidados, y con todo el jardín de casa para sus menesteres y retozos. Daba gusto verlos, y también oírlos; sus ladridos, de los que los vecinos se quejaban a veces, a él le sonaban a música celestial; reconocía los de cada uno y sabía por ellos cómo estaban, si alegres o rabiosos o con moquillo.

Pues sí, otra razón no podía haber; era una broma, pero hasta cierto punto: alguien quería meterle miedo, así que el miércoles, su día libre, no saldría de caza. Él, modestia aparte, entre las cualidades de sus perros y su infalible puntería, todos los miércoles hacía escabechina de liebres y conejos; que lo dijera el doctor Roscio, su habitual compañero, buen tirador asimismo, también con un buen par de perros, pero que lo dijera... La carta, pues, lo que hacía era halagar su vanidad, demostrar su buena fama de cazador. Claro: se levantaba la veda y querían que faltara a la gran fiesta del primer día de caza, día que para él, cayera o no en miércoles, era el mejor del año.

Convencido, pues, de que éste era el motivo del anónimo, y discurriendo sobre quién podía ser el autor, sacó el farmacéutico a la calle una butaca de mimbre y se sentó a la sombra que ya daban las casas. Enfrente tenía la estatua de bronce de Mercuzio Spanò, *maestro del derecho, varias veces subsecretario de Correos,* cuya sombra, a la cruda luz del poniente, se alargaba grávida de meditaciones sobre las cartas anónimas, en su doble condición de maestro del derecho y de subsecretario de Correos. Así, con ligereza, lo miró por un momento el farmacéutico, pero tan ligero pensamiento se convirtió al punto en la amarga sensación de quien, injustamente golpeado, descubre de pronto que su humanidad está por encima de la maldad ajena, y se condena y se compadece por saberse incapaz de maldad.

Cuando la sombra de Mercuzio Spanò tocaba ya los muros del castillo de los Chiaramonte, que estaba en la otra punta de la plaza, tan abstraído estaba el farmacéutico que Luigi Corvaia, creyéndolo dormido, le gritó:

–¡Despierta!

Y el farmacéutico se sobresaltó; sonrió, se levantó para traerle una silla.

–¡Vaya día! –dijo don Luigi, dejándose caer en la silla con un suspiro de cansancio.

–Cuarenta y cuatro grados marcaba el termómetro –observó el farmacéutico.

–Pero ahora empieza a refrescar y esta noche hay que echarse una manta.

–Ya no se entiende ni el tiempo –dijo el farmacéutico con amargura. Y decidió darle ya la noticia a don Luigi, para que la transmitiera él a los amigos que fueran llegando–. He recibido un anónimo.

—¿Un anónimo?

—Amenazándome. —Y fue por la carta.

—¡Rediós! —dijo don Luigi nada más leer aquellas dos terribles líneas—. Esto es una broma.

El farmacéutico convino en ello: una broma, sí, pero con idea.

—¿Cómo con idea?

—Quieren que deje la caza.

—Sí, podría ser; vosotros los cazadores sois capaces de cualquier cosa. —Don Luigi deploraba el gasto y la fatiga absurdos de la caza, aunque no saboreaba menos una buena perdiz en escabeche o un conejo en salsa agridulce.

—No todos —repuso el farmacéutico.

—No, claro, toda regla tiene sus excepciones. Pero ya sabes tú cómo son algunos: la albóndiga con estricnina al perro, el tiro que alcanza al animal del amigo en vez de al conejo al que seguía... ¡Cabrones! ¿Qué culpa tiene el perro? Bueno o malo, un perro es un perro... Meteos con los amos, si os atrevéis...

—No es lo mismo —dijo el farmacéutico, que también había sentido envidia de perros ajenos, aunque no, por supuesto, hasta el punto de querer matarlos.

—Para mí es lo mismo. Quien es capaz de cargarse a un animal a sangre fría, lo es también de matar a una persona como si nada. —Pero añadió—: Aunque quizá lo digo porque no soy cazador.

Toda la tarde se la pasaron hablando de la psicología del cazador, pues cada vez que llegaba uno volvían al tema del anónimo y acababan en el de los perniciosos celos, la envidia y cosas peores de quienes practicaban el antiguo y noble deporte de la caza... excepción hecha, claro está, de los presentes. Aunque también de los presentes sospechaba don Luigi Corvaia, así en lo de envenenar perros como en lo del anónimo; y escrutándolos a todos con sus incisivos ojos de párpados rugosos –al abogado Rosello, al profesor Laurana, al mismo farmacéutico (al que creía capaz no sólo de envenenar perros, sino de haberse mandado a sí mismo el anónimo, a fin de dárselas de cazador envidiado)–, a todos les suponía tanta maldad como su mismo ánimo –educado en la desconfianza, la sospecha, el recelo– secretamente rezumaba.

Todos se mostraron de acuerdo en que el anónimo era una broma, malintencionada, eso sí, sobre todo si la idea era apartar al farmacéutico del solemne día del levantamiento de la veda. Y cuando, como todas las tardes, pasó por allí el sargento de carabineros, el farmacéutico, por seguir la broma, aparentando abatimiento y miedo, en broma se le quejó de que en un pueblo como aquél, que estaba bajo su tutela, él, un hombre de bien, un ciudadano honrado, un buen padre de familia, fuera amenazado de muerte así como así.

–Pues ¿qué ha pasado? –preguntó el sargento, ya de buen humor, esperando oír algún chiste. Pero se puso serio cuando le enseñaron la carta. Podía ser una broma, seguro que lo era, pero constituía un delito y había que denunciarlo.

–¡Denunciarlo! –exclamó el farmacéutico, casi eufórico.

–Denunciarlo como manda la ley. Si quiere ahorrarse la molestia de venir al cuartel, extendemos aquí la denuncia, pero hay que hacerlo. Es un momento.

Entraron todos en la farmacia, el farmacéutico encendió una lámpara que había sobre el mostrador, empezó a escribir lo que el sargento le dictaba.

Dictaba el sargento teniendo en la mano la carta abierta, y la luz de la lámpara caía en ella sesgada. El profesor Laurana, que sentía curiosidad por el rito y el lenguaje de la denuncia, vio claramente transparentar por la otra cara la palabra UNICUIQUE, y también, en caracteres más pequeños, confusamente, *orden natural, menti observantur, tiempo, sede*. Se acercó para descifrarlo mejor, en voz alta leyó «humano», y el sargento, molesto, queriendo defender lo que ya era un secreto de su oficio, dijo:

–Pero, hombre, ¿no ve que estoy dictando?

–Es lo que dice por la otra cara –se disculpó el profesor.

El sargento bajó la mano, dobló la carta.

–Bien haría usted en mirar también el dorso –añadió el profesor, resentido.

–Se hará lo que se tenga que hacer, no lo dude –dijo el sargento con aires de suficiencia, y siguió dictando.

II

El 23 de agosto de 1964 fue el último día feliz que pasó el farmacéutico Manno en este mundo. Según el forense, lo vivió hasta el ocaso; y por cierto que abonaban el dictamen de la ciencia las muchas piezas que desbordaban de su morral y del morral del doctor Roscio: once conejos, seis perdices, tres liebres. Según los entendidos, aquélla era cacería de todo un día, considerando que la zona no era coto ni abundaba en caza. Al farmacéutico y al doctor les gustaba cazar con esfuerzo, poner a prueba la capacidad de los perros y la propia, y por eso se entendían bien y salían siempre juntos, sin más compañeros. Y juntos terminaron aquel feliz día de caza, a diez metros de distancia: el farmacéutico alcanzado en la espalda, el doctor Roscio en el pecho. Y se quedó a hacerles compañía, en la nada eterna o en las partidas de caza elíseas, un perro del farmacéutico, uno de los diez que se había llevado, pues había dejado al undécimo en casa porque tenía inflamación de ojos. Quizá atacara a los asesinos, o quizá lo mataran por puro encono, por saña.

No se sabe cómo reaccionaron en el momento los

otros nueve perros del farmacéutico y los dos del doctor. El caso es que hacia las nueve de la noche entraron en el pueblo –y así pasaron a ser leyenda– corriendo en prieta manada y aullando de una manera tan extraña que todos (pues todos, claro está, los vieron y oyeron) se sobrecogieron con terrible presentimiento. Y así, en grupo y gimiendo, se dirigieron derechamente al almacén que el farmacéutico tenía habilitado para perrera, y ante la puerta cerrada del almacén redoblaron sus aullidos, sin duda para comunicar al de los ojos inflamados el trágico suceso.

La vuelta de los perros llevó al pueblo entero, durante días y días (y así será siempre que se hable de los atributos de los perros), a poner en tela de juicio el orden de la Creación, ya que no deja de ser injusto que los perros carezcan del don de la palabra. Aunque en este caso, de haberlo poseído, dicho sea en descargo del Creador, habrían enmudecido, tanto acerca de la identidad de los asesinos como delante del sargento de carabineros. A quien, por cierto, no dieron parte del inquietante regreso de los animales hasta la medianoche, cuando estaba ya en la cama, y hasta el amanecer permaneció en pie, tratando, ayudado por carabineros y curiosos, de persuadir a los canes, con comida, caricias y buenas palabras, de que lo condujeran al lugar donde habían dejado a sus amos. Pero como los perros no se daban a partido, enterado por la mujer del farmacéutico del paraje al que era posible que hubieran ido, ya con el sol bien alto salió a buscarlos. Y sólo al atardecer, después de un día de lo más penoso, encontró los cadáveres, tal como esperaba, pues ya cuando lo sacaron de la cama supo que se había cumplido la amenaza de aquel anónimo que todo el mundo, él incluido, había tomado a broma.

Dificilillo era el caso, el más difícil con el que se enfrentaba el sargento en los tres años que llevaba en el pueblo: un doble asesinato; víctimas, dos personas honradas, respetadas, queridas, de buena posición y familia influyente, el farmacéutico por estar casado con una Spanò, biznieta del Spanò de la estatua, y el doctor Roscio por ser hijo del profesor Roscio, oculista, y estar casado con una Rosello, sobrina del arcipreste y prima del abogado Rosello.

Sobra decir que de la capital se apresuraron a acudir el coronel y el comisario de policía. Se encargó del caso, como se leyó en la prensa, el comisario, en estrecha colaboración, desde luego, con los carabineros. Lo primero que hicieron, pues siempre llueve sobre mojado, fue llamar a declarar a todos cuantos tenían antecedentes penales, menos a los insolventes y usureros, que en el pueblo no eran pocos. Pero a las cuarenta y ocho horas tuvieron que soltarlos. Estaban a oscuras, y lo estaban también los «confidentes» locales de los carabineros. Entretanto, se preparaban los funerales, con la pompa que cumplía a la condición de las víctimas y familias, a la resonancia del caso, al pesar de la gente; y la policía decidió solemnizarlos e inmortalizarlos con una filmación, preparada en tal secreto que ni uno solo de los que participaron en el cortejo fúnebre dejó luego de aparecer en la pantalla con una cara que parecía decir al objetivo, al operador, a los investigadores: «Sé que estáis ahí, pero perdéis el tiempo: ésta es la cara de un caballero, de un inocente, de un amigo de las víctimas».

Siguiendo a los muertos, que llevaban a cuestas sus clientes más leales y robustos, y que pesaban como plomo por ser los ataúdes de nogal macizo, con incrustaciones de bronce por contera, los amigos de la farmacia hablaban del anónimo, hurgaban en el pasado de Manno, mostraban todo el duelo que hacía al caso por el pobre doctor Roscio, quien sin tener nada que ver había pagado con la vida la imprudencia de acompañar al farmacéutico después de la amenazadora carta. Pues, con todos los respetos por el farmacéutico, ahora que la amenaza de muerte se había atrozmente cumplido, preciso era reconocer que un móvil del delito debió de haber, por absurdo que fuera, por insignificante, lejana, involuntaria que fuera la (mala) acción de la víctima en que se fundaba. Porque la carta bien claro lo decía: «MORIRÁS POR LO QUE HAS HECHO». Luego alguna culpa, leve, antigua, pero culpa, debía de tener el farmacéutico. Aunque por otro lado nadie hace nada por nada: no se mata a un hombre (en este caso a dos, contando al inocente doctor Roscio) por una cosa de nada. En caliente, estamos de acuerdo, se puede matar por un adelantamiento, por una palabra, pero aquél era un crimen planeado en frío, para vengar alguna ofensa difícil de olvidar, de esas que el tiempo, en vez de borrar, recrudece. No faltan, de acuerdo también, locos que se obsesionan con alguien, que creen que ese alguien los persigue, secreta, constantemente. Pero ¿de verdad puede decirse que aquél era el crimen de un loco? Aparte de que entonces los locos serían dos, y cuesta creer que dos locos se pongan de acuerdo. Porque dos eran los asesinos: nadie se arriesgaría a enfrentarse solo a dos personas armadas con escopetas cargadas y listas, conocidas además por ser tiradores bastante rápidos, bastante certeros. Cosa de locos sí era la carta: ¿por qué avisar? ¿Y si el farmacéutico, consciente de su culpa (que seguro que la había), o simplemente asustado, hubiese renunciado a salir de caza? ¿No se habría ido al traste el plan de los asesinos?

–El anónimo –dijo el notario Pecorilla– es típico de los crímenes pasionales: por mucho que sea un riesgo, el vengador quiere que la víctima empiece a morir y a la vez reviva su culpa desde que recibe el aviso.

–Pero el farmacéutico no empezó a morir, ni mucho menos –repuso el profesor Laurana–. Puede que se turbara algo la tarde del anónimo, pero después bromeaba, estaba tranquilo.

–¿Quién sabe lo que un hombre puede ocultar? –observó el notario.

–Ocultar, ¿por qué? Al contrario, si hubiera tenido alguna sospecha, lo más sensato habría sido...

–... comunicarla a los amigos y hasta al sargento –concluyó el notario con ironía.

–¿Y por qué no?

–¡Ay, querido amigo! –contestó el notario con asombro y reprobación, aunque afectuosamente–. Supón, querido amigo, que Manno, que en paz descanse, en un momento de flaqueza, de locura... Somos humanos, ¿no? –Buscó consenso entre los presentes y no le faltó–. A la farmacia van más mujeres que hombres, el farmacéutico es considerado casi un médico... Vamos, que la ocasión hace al ladrón... Alguna jovencita... Cuidado, no me consta que el difunto tuviera este flaco, pero ¿quién lo asegura?

–Nadie –dijo don Luigi Corvaia.

–Ajá, ¿lo ve? –continuó el notario–. Y yo diría que hasta alguna razón hay para sospechar que... Hablemos claro: él se casó por interés. Basta con mirar a su mujer, la pobre, para darse cuenta: buenísima mujer, no lo niego, llena de virtudes, pero fea, la pobre, fea como ella sola...

–Él vivió en la pobreza –dijo don Luigi–, y como todos los que han sido pobres era codicioso y avaro, sobre todo de joven... Luego, casado y con la farmacia yendo bien, parece que cambió.

–Usted lo ha dicho: parece. Porque en realidad era un tipo cerrado, duro... Pero a lo que íbamos, ¿os acordáis, por ejemplo, de cuando hablábamos de mujeres?

A la pregunta del notario se apresuró a contestar don Luigi:

–Se quedaba callado, escuchaba y no decía nada.

–Y eso, seamos sinceros, nosotros que tanto hablamos de mujeres, es propio de quien trajina. A veces, ¿os acordáis?, esbozaba una sonrisa como diciendo: «Vosotros hablad, que yo trajino». Y hay que considerar que era un buen mozo.

–Eso que dice, mi querido notario, nada prueba –intervino el profesor Laurana–. Y aunque fuera verdad, o sea que sedujera a alguna muchacha o deshonrase a alguna casada, por emplear un lenguaje de vieja novela popular, falta explicar por qué, al recibir el anónimo, no habría de comunicar al sargento sus sospechas acerca de la identidad del autor.

–Porque a veces, entre perder la paz del hogar y ganar la paz eterna, uno elige la paz eterna, ni más ni menos –repuso el señor Zerillo, con una expresión que claramente reflejaba cuánto lamentaba no haber sido hasta entonces capaz de elegir lo mismo.

–Pero el sargento, con discreción... –empezó a objetar el profesor Laurana.

–No sea necio –lo interrumpió el notario–. Pero disculpe, le explico luego... –Habían llegado ya frente a la iglesia del cementerio, donde se pronunciaban los discursos fúnebres, y el notario justamente era el elegido para loar las virtudes del difunto farmacéutico.

Pero no le hizo falta al profesor que el notario le explicara nada; en efecto, había sido un necio.

Ya la tarde anterior, con exquisitas alusiones, con delicados eufemismos, había el comisario invitado a la viuda de Manno a hacer memoria, a recordar si alguna vez, por alguna razón, como ocurre en todo tiempo y lugar, había tenido una sombra, decía bien, una sombra de sospecha, no, ¡por Dios!, de que su marido tuviera una relación extraconyugal o la engañara a veces, sino de que alguna mujer fuera tras él, se le insinuase, frecuentase mucho la farmacia; la impresión más vaga, en fin; con eso se conformaba. La mujer dijo que no, cada vez que se lo preguntaban, decididamente. No se dio por vencido el comisario, sin embargo; mandó traer al cuartel a la sirvienta y tras seis horas de paternal interrogatorio logró hacerle admitir que sí, que una vez hubo en la pareja un pequeño incidente a propósito de cierta joven que, según la señora, aparecía mucho por la farmacia (la farmacia ocupaba el bajo de la casa y a la señora le resultaba fácil ver cuando quería a los que entraban y salían). Pregunta: «¿Y el farmacéutico?». Respuesta: «Lo negaba». Pregunta: «¿Y usted qué pensaba?». Respuesta: «¿Yo? ¿Yo qué pinto?». Pregunta: «¿Sospechaba lo mismo que la señora?». Respuesta: «La señora no sospechaba nada: la chica le parecía algo fresca, y un hombre es un hombre». Pregunta: «Algo fresca, y muy guapa». Respuesta: «Para mí no tan guapa, pero fresca, mucho». Pregunta: «Algo fresca, o sea, algo ligera de cascos, ¿es eso lo que quiere decir?». Respuesta: «Sí». Pregunta: «¿Y cómo se llama esa joven?». Respuesta: «No lo sé», con las variantes «No la conozco», «No la he visto en mi vida», «La vi una vez y ya no me acuerdo»; así desde las dos y media hasta las siete y cuarto, hora en que, por repentino despertar de la memoria, la sirvienta recordó no sólo el nombre, sino también la edad, la calle y el número del domicilio, los parientes hasta quinto grado e infinidad de datos relativos a la muchacha en cuestión.

Con lo que a las siete y media la muchacha en cuestión comparecía ante el comisario, y el padre de la muchacha esperaba ante el cuartel; y a las nueve la futura suegra de la muchacha, acompañada de dos amigas, se presentaba en casa de la muchacha y devolvía un reloj de pulsera, un llavero, una corbata y doce cartas, y pedía la inmediata devolución de un anillo, una pulsera, un velo de misa y doce cartas. Ventilada la ceremonia, que rompía para siempre el noviazgo, y para malévolo remate de ella, hizo la ex futura suegra la siguiente exhortación: «Buscaos a otro tonto», dando por cierto a entender que su hijo era poco inteligente, por haber casi arriesgado la honra por una mujer que se lió con el farmacéutico; exhortación que arrancó gemidos de vergüenza y rabia a la madre de la muchacha y a los parientes que habían acudido. Se marchó la vieja aprisa, antes de que los otros se repusieran y montaran en cólera, seguida de las dos amigas, y ya en la calle, para que la oyeran los vecinos, gritó: «No hay mal que por bien no venga. ¡Ojalá lo hubieran matado antes de que mi hijo pisara esa casa!», refiriéndose desde luego al farmacéutico, que recibió así el segundo elogio fúnebre del día.

III

Merced a un montón de recetas y al médico que las prescribió, se convenció el comisario de que el ir y venir de la muchacha a la farmacia se debía casi concluyentemente a la meningitis que padeció un hermano suyo de once años, que aún presentaba secuelas: un aire lelo y asustado, fallos de memoria, dificultad para hablar. Como el padre trabajaba en el campo y la madre no salía de casa, a ella, por otra parte la más lista e instruida de la casa, le tocaba ir por las recetas y consultar al médico de cabecera. Como es natural, también se interrogó al padre y al ex novio, aunque sólo por apurar esta pista.

Convencido el comisario, a la muchacha le quedaba por convencer al resto del pueblo, siete mil quinientos habitantes, sus familiares inclusive. Los cuales, apenas la dejó el comisario, por lo pronto se le echaron encima y silenciosa, sañuda, esmeradamente, le pegaron.

La señora Teresa Spanò, viuda de Manno, que había sacado fotografías del farmacéutico para elegir la que mandar esmaltar y poner en la tumba, veía en todas ellas cómo el bello y plácido rostro del marido se animaba con un imperceptible guiño en el labio y una luz fría y burlona en los ojos. La metamorfosis del farmacéutico, pues, se verificaba también en el hogar en el que durante quince años había vivido como marido fiel, como padre ejemplar. Torturada por la sospecha hasta cuando dormía, en medio de un centellear de espejos en los que su marido se le aparecía como su madre lo trajo al mundo y dislocado como un títere, despertando sobresaltada, la señora se levantaba para interrogar de nuevo las imágenes del marido, el cual unas veces parecía responderle, desde la muerte en que estaba, que todo era muerte y nada importaba, y otras, las más, desde la vida cruel y cínica, que la vida seguía. Abiertamente afrentados estaban sus parientes, prontos siempre a reprocharle aquel matrimonio al que ya en su día se opusieron por todos los medios, mientras que los del farmacéutico, tan al margen del fastuoso luto como alejados se habían mantenido de la vida holgada y satisfecha del pariente, consideraban lo ocurrido en términos de fatalidad: uno cambia de situación, cree tocar la riqueza y la felicidad, y, ¡zas!, enseguida lo alcanza el dolor, la ignominia, la muerte.

Aunque no había ningún indicio, salvo una colilla de puro hallada en el lugar del crimen (y que los investigadores supusieron que fumaría uno de los asesinos durante la larga espera al acecho), no había uno solo del pueblo que por su cuenta, secretamente, no hubiera ya resuelto o casi el misterio, o que no se considerase en poder de una clave para resolverlo. También el profesor Laurana tenía su clave: el UNICUIQUE que, junto con otras palabras que había olvidado, atisbó casualmente en el dorso del papel a la oblicua luz que sobre él caía. No sabía si el sargento había hecho caso de su sugerencia de mirar también por la otra cara, o si, ahora que la investigación estaba en marcha, habían examinado debidamente la carta en los laboratorios de la policía, en cuyo caso el UNICUIQUE no podía dejar de ser el centro de la investigación. Aunque en verdad no era nada seguro ni que examinaran la carta como él había sugerido, ni que, una vez examinada, comprendieran la importancia del indicio. Y había en esto cierta vanidad, la de creer que no todos podían penetrar en un secreto tan evidente, o en una evidencia tan secreta, que requería, precisamente por la contradicción que encerraba, una mente libre y despierta.

Por eso, por vanidad, dio el primer paso: casi sin querer. Cuando, como todas las tardes, pasó por el quiosco, pidió *L'Osservatore Romano*. Esto extrañó mucho al quiosquero, primero porque el profesor tenía fama, no del todo merecida, de furioso anticlerical, y segundo porque hacía al menos veinte años que nadie le pedía ese periódico. Así se lo dijo, dando al profesor una pequeña alegría:

–Hará al menos veinte años que nadie me pide *L'Osservatore Romano*. En la guerra aún lo leía alguien, me llegaban cinco ejemplares. Luego vino el secretario del Fascio y me dijo que o dejaba de venderlo, o me retiraban la licencia... La ley la hace el que manda. ¿Usted qué habría hecho?

–Lo que usted –dijo el profesor. «Luego nadie ha preguntado al quiosquero si vende *L'Osservatore;* aunque quizá el sargento lo supiera ya. Probaré en Correos o con el cartero.»

El jefe de Correos era un tipo hablador, amigo de todos. No costó mucho sacarle información.

–Estoy haciendo un trabajo sobre Manzoni y me han hablado de un artículo que publicó *L'Osservatore* hará unos quince o veinte días. ¿Lo recibe aquí alguien?

Se sabía que el profesor hacía trabajitos de crítica que publicaba en revistas. Por eso el jefe de Correos dio la información sin pensarlo (y no la habría dado, o la habría dado con vacilación, con desconfianza, si la policía ya se la hubiera pedido).

–Me llegan dos ejemplares, uno para el arcipreste y el otro para el párroco de Santa Ana.

–¿Y para Democracia Cristiana no?

–No.

–¿Tampoco para el secretario?

–Tampoco; sólo dos ejemplares, se lo aseguro. –Y atribuyendo la insistencia del profesor a la falta de trato con los curas, le aconsejó–: Vaya a ver al párroco de Santa Ana, si tiene el número del periódico que usted busca, se lo dará.

El profesor siguió al punto el consejo; la iglesia de Santa Ana estaba a dos pasos, la casa parroquial al lado. Tenía además cierta confianza con el párroco, hombre de espíritu abierto, mal visto por sus superiores y muy querido del pueblo (aunque llevaban razón los superiores).

Fue recibido con los brazos abiertos; pero cuando explicó el motivo de la visita, el párroco puso cara de sentirlo mucho y dijo que sí, que recibía *L'Osservatore,* que por inercia y por no llamar la atención no había cancelado la suscripción que abrió su predecesor; pero que no, que leerlo no...

–Nunca lo he leído, no lo abro siquiera; tal como viene creo que se lo lleva mi coadjutor. ¿Lo conoce? Ese cura joven, en los huesos, que nunca mira a los ojos... Un tonto, y espía además: me lo han endosado por eso. Él leerá *L'Osservatore,* hasta puede que lo guarde. Si quiere lo llamo.

–Se lo agradecería.

–Hecho. –Descolgó el teléfono, pidió el número. En cuanto le dieron línea preguntó de sopetón–: ¿Le has dado ya el parte diario al arcipreste? –Y le guiñaba el ojo al profesor, moviendo ostentosamente el aparato por el que se oía la voz del otro, que por supuesto negaba–. Pero si a mí me la... Y no te llamo por eso... Escúchame, ¿qué haces con los ejemplares de *L'Osservatore Romano* que me robas? –Más protestas, que el párroco atajó diciendo–: No, esta vez sí es broma... Di, ¿qué haces con ellos?... ¿Los guardas?... Así me gusta. Espera que te digo qué números me hacen falta, no para mí, se entiende, para un amigo, un profesor... ¿Qué números le hacen falta?

–Exactamente no lo sé; el artículo que busco debió de aparecer entre el 1 de julio y el 15 de agosto.

–Muy bien... Oye, los ejemplares del 1 de julio al 15 de agosto, ¿los tienes todos?... ¿Que has de mirarlo? Pues míralo, y de paso fíjate si en alguno hablan de Manzoni... Míralo bien y me llamas. –Colgó, explicó–: Va a ver. Si encuentra el artículo, le diré que me lo traiga mañana, así se evita usted las náuseas de verlo. Repugna.

–¿De veras?

–Hay que tener estómago, créame, para acercársele. Yo creo que además es algo vicioso, ya me entiende... Yo me divierto teniéndolo siempre entre mozas... Sufre, el desgraciado sufre. Y se venga. Yo, ¿sabe usted?, me tomo la vida como viene... ¿Ha oído el chiste del ama joven, el cura y el obispo?... ¿No? Pues voy a contárselo, así por una vez oirá un chiste de curas contado por un cura... Van y le dicen al obispo que en un pueblo hay un cura que no sólo tiene un ama de edad muy por debajo, como diría Manzoni *(lupus in fabula)*, de la edad sinodal,* sino que además duerme con ella en la misma cama. Conque sale para allá el obispo, ve al ama, joven y apañada de verdad, el dormitorio, la cama, y le dice al cura de qué lo acusan. El cura no lo niega. «Es verdad», dice, «que ella duerme de un lado y yo del otro, pero como ve, entremedias hay unos goznes en la pared, y yo todas las noches, antes de acostarnos, fijo una tabla bien grande y gruesa,

* El «ama», en el original *perpetua*, procede del personaje homónimo de la novela *Los novios* de Manzoni, lo que explica el «*lupus in fabula*» del paréntesis, locución latina que vendría a significar «hablando del rey de Roma...»; la edad sinodal o canónica es la edad no inferior a los cuarenta años prescrita por el Concilio de Trento para las domésticas de los eclesiásticos. *(N. del T.)*

que es como una pared», y le enseña la tabla. El obispo se tranquiliza, sorprendido de tanto candor, y se acuerda de esos santos de la Edad Media que se acostaban con mujeres poniendo en medio un crucifijo o una espada. Le dice con dulzura: «Sí, muy bien la tabla, es una precaución, pero dime, hijo mío, cuando la tentación te asalta, violenta, irresistible, infernal como es, ¿qué haces?». «Pues muy fácil», contesta el cura: «quito la tabla».

El párroco tuvo tiempo de contar dos chistes más antes de que llamara el coadjutor. Lo había mirado: los números del 1 de julio al 15 de agosto los tenía todos, pero no había ningún artículo sobre Manzoni.

–Lo siento –dijo el párroco–. A lo mejor no ha mirado bien. Un tonto, ya le digo. Para asegurarse, lo mejor sería que fuera usted y los viera. ¿O quiere que le diga que me los traiga todos?

–No, no, gracias, sería mucha molestia. Además, tampoco me es tan indispensable el artículo.

–Y que lo diga. Hace siglos que no decimos nada indispensable... Además, figúrese lo que dirá de Manzoni un católico; de un escritor al que hoy sólo un libertino, un libertino de verdad, en el sentido original y en el sentido corriente de la palabra, puede entender, amar...

–Y sin embargo hay páginas de católicos sobre Manzoni muy lúcidas.

–Las conozco: «el dios que aterra y exalta», la gracia, el paisaje, Manzoni y Virgilio... Oh, si es por esto yo diría que toda la crítica de Manzoni está hecha por católicos, con alguna excepción, y no muy inteligente, la verdad... ¿Y sabe cuándo nos acercamos al centro, al magma? Cuando se toca el tema del silencio del amor... Pero dejémoslo correr... Venga, quiero enseñarle una cosa, usted que entiende. –Fue a un armario empotrado, lo abrió, sacó una estatuilla de un palmo de alta, un san Roque–. Mírela, qué movimiento, qué finura... ¿Y sabe cómo la conseguí? Por un colega, de un pueblo de aquí al lado: la tenía en la sacristía, en un trastero, como cosa vieja. Yo le compré un bonito san Roque nuevo, grande, de cartón piedra. Me tiene por un maniaco, por uno de esos que se chiflan por las antiguallas: casi se sentía mal por ganar tanto con el cambio.

Era el párroco bien conocido por ser un ávido y sagaz entendido en arte, y se sabía que tenía asiduo y provechoso comercio con algunos anticuarios de Palermo. En efecto, mostrando la estatuilla por todos lados, dijo:

–Ya la he enseñado, me ofrecen trescientas mil liras. Pero por ahora quiero disfrutarla yo; siempre hay tiempo para que acabe en casa de algún ladrón del dinero público... ¿Usted qué dice? ¿Primera mitad del siglo XVI?

–Podría ser.

–De la misma opinión es el profesor De Renzis, una autoridad en escultura siciliana de los siglos XV y XVI... Claro que su opinión... –y se echó a reír– coincide siempre con la mía; para eso le pago.

–No cree usted en nada.

–Oh, sí, en algunas cosas, quizá demasiadas, para los tiempos que corren.

En el pueblo se contaba la anécdota, quizá verídica, de que un día, celebrando misa, al ir a abrir el sagrario, se le atascó la llave y, mientras forcejeaba impaciente con la cerradura, se le escapó el juramento: «¡Sal de ahí, demonio!»; se refería a la llave. Pero era así, en la iglesia siempre tenía prisa, siempre andaba por ahí en trapicheos, en cambalaches.

–Perdone, pero entonces no entiendo... –empezó a decir el profesor.

–¿Por qué llevo sotana?... Pues le diré que no me la puse por gusto. Pero a lo mejor conoce usted la historia: un tío mío, párroco de esta misma iglesia, usurero, rico, me lo dejó todo a condición de que me hiciera cura. Yo tenía tres años cuando murió. A los diez, cuando entré en el seminario, me creía un san Luis; a los veintidós, cuando salí, la encarnación de Satán. Lo habría plantado todo, pero estaba la herencia, mi madre... Hoy me da ya igual lo que heredé, mi madre está muerta; podría irme...

–Pero está el Concordato.

–A mí, teniendo el testamento de mi tío, el Concordato no me afecta: me metí a cura obligado, luego no me privarían de mis derechos civiles... Pero lo cierto es que ahora me siento cómodo en esta sotana, y entre la comodidad y el desdén he alcanzado un equilibrio, una perfección, una plenitud de vida...

–¿Y no podría eso darle problemas?

–No, ninguno. Si se atreven a tocarme, les monto un escándalo que hasta los corresponsales del *Pravda* tendrían que instalarse aquí un mes por lo menos... ¿Qué digo, un escándalo? Una serie, una ráfaga de escándalos...

Entretenido con tan placentera plática, el profesor Laurana dejó la casa parroquial casi a medianoche. Se iba lleno de simpatía por el párroco de Santa Ana. «Pero en Sicilia, quizá en toda Italia», se dijo, «hay tanta gente simpática a la que habría que cortarle el cuello...»

En cuanto al UNICUIQUE, ya sabía que no podía venir del ejemplar de la parroquia de Santa Ana. Y ya era algo.

IV

Habían ya pasado los tres días de luto riguroso, por lo que no consideró Laurana una inconveniencia ir a ver al arcipreste Rosello y pedirle aquel número de *L'Osservatore Romano* de entre el 1 de julio y el 15 de agosto que traía un artículo sobre Manzoni imprescindible para su trabajo. El arcipreste era tío de la mujer del doctor Roscio, y le tenía un gran cariño por haberla criado en casa hasta que se casó. La casa del arcipreste era enorme, y se mantenía gracias a grandes propiedades indivisas; cuando veinte años atrás vivían en ella los dos hermanos con sus respectivas esposas e hijos, doce miembros formaban una sola familia, más el arcipreste, que era el cabeza y no sólo en sentido espiritual. La muerte o los casamientos se había llevado ya a nueve, y por tanto quedaban cuatro: el arcipreste, las dos cuñadas y un sobrino soltero, el abogado Rosello.

El arcipreste estaba en la sacristía, quitándose los ornamentos litúrgicos. Recibió al profesor como caído del cielo. Tras diez minutos de ceremonias pasaron a hablar del atroz crimen, del ánimo generoso y amable del difunto doctor Roscio, del dolor inconsolable de la viuda.

–Terrible crimen... Y tan oscuro además, tan misterioso –dijo el profesor.

–No tanto –afirmó el arcipreste, y tras una pausa–: Verá, ése, el farmacéutico, tenía sus asuntos de faldas. No se sabía nada, de acuerdo. Pero lo cierto es que primero lo amenazaron y luego lo mataron, que es el procedimiento típico de la venganza. Y mi pobre sobrino lo pagó.

–¿Eso cree?

–¿Y qué otra cosa se puede pensar? Cuestiones de interés no tenía con nadie, por lo que se ha averiguado. No cabe pensar sino en un asunto de faldas. Un padre, un hermano, un novio que de pronto no aguanta más la afrenta y corta por lo sano, con tanta rabia que no ve ni que hay un inocente...

–Es posible, pero no seguro.

–¿Que no es seguro? Lo único seguro, querido profesor, es Dios. Y la muerte. Seguro, no, claro, pero elementos que nos acercan a la seguridad los hay. Primero: la carta advierte al farmacéutico de que pagará con la vida alguna culpa; no dice cuál, pero quien la escribió suponía que esa culpa, si era antigua, acudiría enseguida a la memoria de quien la había contraído (luego era una culpa grave, de las que no se olvidan), o se refería a algo reciente, en curso, digamos. Segundo: si, como usted sabe bien, porque me han dicho que estaba presente, el farmacéutico se negó a denunciarlo, al menos debía de tener la sospecha de que de la denuncia podía derivar algo poco honroso para él, sí, al menos la sospecha debía de tenerla. Tercero: no parece que la vida conyugal discurriese muy tranquila en casa del farmacéutico...

–No sé... Pero le haré algunas objeciones. Primera: el farmacéutico recibe una amenaza clara, directa, ¿y qué hace? A la semana brinda a su enemigo la mejor ocasión para cumplirla: sale de caza. La verdad es que no se la tomó en serio, que creyó que era una broma; luego nada de culpa, ni pasada ni presente. O mejor, dada la ferocidad con la que ejecutaron la amenaza, hay que pensar en una culpa muy antigua, tan antigua que parece mentira que desencadene una venganza después de tanto tiempo. O bien hay que pensar en una culpa en la que incurrió sin darse cuenta: un acto, una palabra, algo, en fin, sin importancia pero que se graba indeleblemente en una mente enferma, perturbada. Segundo: ninguno de los que vieron la carta creyeron que fuera en serio; ninguno, y éste es un pueblo pequeño, en el que no es fácil que pase inadvertida una relación amorosa, por secreta que sea, o un vicio, por mucho que se esconda... En cuanto a lo de no querer denunciarlo, es verdad; pero por eso mismo, porque él y los amigos lo consideraron una broma.

–Puede que tenga razón –dijo el arcipreste; pero se le leía en los ojos que seguía firme en su opinión–. Dios mío –se encomendó–, arroja tu luz sobre la verdad, para que se haga justicia y no venganza.

–Esperémoslo –dijo a modo de amén el profesor. Y explicó el motivo de su visita.

–¿*L'Osservatore Romano*? –preguntó el arcipreste, regocijado de ver que lo pedía un descreído–. Sí, lo recibo, lo leo, pero guardarlo... Guardo las revistas: *Civiltà Cattolica, Vita e Pensiero,* pero no los periódicos... El sacristán va por el correo, me lo trae aquí; yo luego me llevo a casa la correspondencia privada y los periódicos. Una vez que los he leído, los periódicos pasan a ser, por así decirlo, del dominio doméstico: *L'Osservatore Romano, Il Popolo*... Vea –y sacó *L'Osservatore* del montón del correo–, ahora me lo llevo a casa, nada más acabar de comer lo leo y esta misma tarde, seguro, mis cuñadas o la criada lo usarán para envolver algo o encender el horno... A menos, por supuesto, que traiga una encíclica, un discurso, un decreto de Su Santidad.

–Por supuesto.

–Si este ejemplar, que es de anteayer, le hiciera falta... –Y se lo alargó tal cual, doblado en ocho–. Yo con hojearlo aquí mismo, ahora, me conformo... También con los periódicos voy retrasado, sí, esta semana ha sido para mí un infierno...

Laurana había abierto el periódico, se había quedado mirando la cabecera; allí estaba el UNICUIQUE, igual que el que entrevió en el dorso de la carta. UNICUIQUE SUUM, «A cada cual, lo suyo»; bonitos caracteres de imprenta, elegante rabo curvado de la Q; más las llaves cruzadas y la tiara y, en los mismos caracteres, NON PRAEVALEBUNT. A cada cual, lo suyo: como al farmacéutico Manno y al doctor Roscio. ¿Qué palabra habría tras el UNICUIQUE que la misma mano que luego acabó con dos vidas recortó y pegó en la hoja? ¿La palabra «sentencia»? ¿La palabra «muerte»? Lástima no poder ver de nuevo la carta, ya bajo secreto de sumario.

–No tenga reparos –decía el arcipreste–, si necesita el ejemplar lléveselo.

–¿Cómo?... Ah, sí, gracias. Pero no, no me hace falta. –El profesor dejó el periódico en la mesa, se levantó. Estaba turbado, agobiado de pronto por el olor a madera vieja, a flores mustias, a cera que flotaba en la sacristía–. Se lo agradezco –añadió tendiendo la mano, que el arcipreste estrechó entre las suyas con el amor que se dedica al descarriado.

–Hasta la vista –se despidió el arcipreste–. Espero que venga a verme alguna vez.

–Con mucho gusto –contestó Laurana.

Salió de la sacristía, atravesó la iglesia desierta. En la plaza no había una sombra; cruzándola consideró lo bien que se estaba en la iglesia y en la sacristía, y la consideración se le trocó en irónica metáfora, por el párroco de Santa Ana, por el arcipreste: estaban bien de verdad, cada cual a su modo. O tal vez, según lo que decía la gente, los dos del mismo modo, y diferían las apariencias. Divagaba: por una suerte de sutil, inconsciente amor propio, evitaba la idea de la decepción, del fracaso. Era ésta: aunque averiguara de qué ejemplar recortaron el UNICUIQUE del anónimo, sería imposible saber adónde fue a parar dicho ejemplar una vez salido de la casa del arcipreste. Porque estaba claro que ni el arcipreste, ni sus cuñadas, ni su sobrino, ni la criada tenían nada que ver. Dado el uso que en aquella casa daban a los periódicos, no cabía pensar sino en un mínimo porcentaje de lectores que, después que los hojeaba el arcipreste, los guardase, como el coadjutor de Santa Ana, y en que, por tanto, aquel número, aquel trozo le había llegado al autor del anónimo (y de los crímenes) envolviendo algún paquete. Aparte de que cualquiera, con intención o casualmente, habría podido comprar el periódico en algún quiosco de la capital.

Bien pensado, por tanto, no hizo mal la policía en pasar por alto el UNICUIQUE; la experiencia, desde luego. Tiempo perdido era ponerse a buscar en un pajar una aguja que se sabe que no tiene ojo, a la que no se puede enhebrar el hilo de la investigación. Él, en cambio, quedó deslumbrado por aquel detalle. Un periódico que tenía sólo dos abonados en el pueblo: una pista concreta, que abría una vía a la investigación. Cuando en realidad llevaba a un callejón sin salida.

Pero tampoco iba mejor encaminada la policía, que se había centrado en la colilla de puro. Se averiguó que era de la marca Branca, y que en el pueblo solamente los fumaba el secretario del ayuntamiento, persona fuera de toda sospecha, amén de forastera y residente en el pueblo hacía apenas seis meses. «*L'Osservatore* es igual que el puro Branca», se dijo Laurana, «deja que la policía siga la pista del puro y tú olvídate de *L'Osservatore*.» Pero en su casa, mientras su madre ponía la mesa, anotó en un papel: «El que compuso el anónimo recortando las palabras de *L'Osservatore*, *a)* fue listo y compró el periódico en la capital con idea de despistar; *b)* tuvo casualmente el periódico a mano y lo usó sin fijarse en cuál era; *c)* estaba tan acostumbrado a ver ese periódico que le parecía un periódico como cualquier otro, y no pensó en su particularidad tipográfica ni en la limitada y casi profesional difusión». Dejó el bolígrafo, releyó la anotación, rasgó el papel minuciosamente.

V

A Paolo Laurana, profesor de italiano y latín en el instituto de la capital, lo consideraban los estudiantes un tipo curioso pero buen profesor, y los padres de los estudiantes, buen profesor pero un tipo curioso. Con el término «curioso» querían indicar tanto alumnos como padres una rareza que no llegaba a extravagancia: opaca, grave, casi vergonzante. El caso es que esta rareza del profesor hacía a los alumnos más llevadero el peso de su enseñanza, y a la vez impedía a los padres saber por dónde entrarle para plegarlo, no a la clemencia, sino a la justicia (pues, ni que decir tiene, ya no hay alumnos que merezcan suspender). Era amable hasta la timidez, hasta el balbuceo; cuando le hacían una recomendación daba la impresión de tenerla muy en cuenta. Pero ya se sabía que su amabilidad ocultaba un juicio firme, una decisión inamovible, y que las recomendaciones por un oído le entraban y por el otro le salían.

Durante el año académico su vida discurría entre la capital y el pueblo: iba con el autobús de las siete, volvía con el de las dos. Por la tarde se dedicaba a leer, a estudiar, luego se acercaba al casino o a la farmacia, se recogía hacia las ocho. No daba clases particulares, tampoco en verano, estación que prefería consagrar a sus trabajos de crítica literaria, que luego publicaba en revistas que nadie en el pueblo leía.

Persona honrada, meticulosa, triste; no muy inteligente, a veces hasta francamente necio; con desequilibrios y resentimientos que se conocía y reprobaba; no carente de esa conciencia de sí, secreta presunción y vanidad, que le venía del ambiente del instituto, en el que, por preparación y cultura, se sentía y era muy distinto de sus colegas, y del aislamiento al que, como hombre, por así decir, ilustrado que era, se veía abocado. En política todos lo tenían por comunista, pero no lo era. En su vida privada se lo consideraba víctima del amor posesivo y celoso de su madre, y era verdad. A sus casi cuarenta años, seguía viviendo en su interior aventuras de amor y deseo con alumnas y colegas que no se daban cuenta o apenas, y bastaba con que una alumna o una colega diera muestras de corresponderle para que su deseo se enfriara. Pensar en su madre, en lo que diría, en el juicio que emitiría sobre la mujer elegida, en la eventual convivencia de las dos mujeres, en la posible decisión de una de ellas de no hacer vida en común, venía siempre a apagar las efímeras pasiones, a alejar a las mujeres que las habían inspirado como si hubiera vivido con ellas una triste experiencia, y por tanto con una sensación de alivio, de liberación. Seguramente se casaría sin dudarlo con la mujer que su madre le eligiera; pero para su madre, él, tan inocente todavía, tan ingenuo, tan expuesto a la malicia del mundo y de los tiempos, aún no tenía edad para dar un paso tan peligroso.

Con este carácter, y en las condiciones en que vivía, no tenía amigos. Muchos conocidos, pero ninguna amistad. Del doctor Roscio, por ejemplo, fue compañero de estudios antes de la universidad, pero no se puede decir que fueran amigos cuando después se reencontraron en el pueblo. Se veían en la farmacia y en el casino, charlaban, recordaban episodios o personas de cuando estudiaban juntos. A veces lo llamaba a casa por alguna indisposición o desfallecimiento de su madre; Roscio acudía, examinaba a la anciana, recetaba algo; se quedaba a tomar café, recordaba a cierto profesor o compañero del que no había vuelto a saber nada, qué hacía, dónde estaba. No se devolvían las visitas, pero todas las navidades Laurana le mandaba un buen libro de regalo, porque Roscio era de los que a veces leían. Entre ellos no había cariño; sólo una comunión de recuerdos y la posibilidad de hablar de literatura y política con cierta propiedad y sin desagradables discrepancias; cosa imposible con otros del pueblo, fascistas casi todos, incluso los que creían ser socialistas o comunistas. Por eso la muerte de Roscio lo afectó de manera especial, sintió pena y notó un vacío, sobre todo cuando lo vio muerto. Verdaderamente la muerte le había cubierto la cara de pálido azufre, una máscara de azufre que lentamente se endurecía en la atmósfera corrompida y cargada debido a las flores, a los cirios, al sudor. Sí, Roscio era presa como de una lenta petrificación, y bajo la costra se adivinaba su estupor angustioso, su angustioso esfuerzo por romperla. Al farmacéutico, en cambio, la muerte le había conferido esa dignidad y gravedad del pensamiento que, en vida, nadie le había visto nunca. Y es que también la muerte tiene sus ironías.

Estas circunstancias (la desaparición de un hombre al que lo unía la costumbre más que la amistad; el haberse encontrado por primera vez, aunque ya hubiera visto otros muertos y otras formas de muerte, ante la muerte en toda su espantosa realidad, la puerta cerrada de la farmacia que parecía sellar para siempre la cinta negra del luto), estas circunstancias habían creado en Laurana un estado de ánimo casi desolado y con accesos de ansiedad que sentía incluso físicamente, en ciertas suspensiones y aceleraciones del corazón. Pero de este estado de ánimo se abstraía, o creía él que se abstraía, su curiosidad por saber el cómo y el porqué del crimen, una curiosidad puramente intelectual y picada por una especie de puntillo. Estaba, en fin, en la situación de quien, en un salón o un círculo, oye uno de esos acertijos o rompecabezas que los necios siempre están preparados para echar y, lo que es peor, para resolver, y sabe que es un juego estúpido, una pérdida de tiempo, para gente estúpida con tiempo que perder, y aun así se siente obligado a resolverlo y en ello se empeña. Porque la idea de que la solución del problema llevase a los culpables ante la justicia, como suele decirse, y por tanto a la justicia misma, ni se le pasaba por la cabeza. Era un buen ciudadano, de regular inteligencia, de buenos sentimientos, respetuoso de la ley; pero de haber pensado que estaba quitándole el trabajo a la policía, o ya sólo que competía con ella, habría sentido tal repugnancia que hubiera desistido en el acto.

Conque ahí tenemos a este hombre reflexivo, tímido, quizá no valiente, jugando su peligrosa carta: en el casino, por la tarde, cuando no falta casi nadie. Se habla, como todas las tardes, del crimen, y Laurana, casi siempre callado, dice:

–El anónimo lo escribieron con palabras recortadas de *L'Osservatore Romano*.

La conversación cesa, se hace un silencio atónito.

–Ahora, ahora –dice al cabo Luigi Corvaia; su asombro no es por el indicio revelado, sino por el iluso que, revelándolo, se pone a tiro de las dos partes: de la policía y de los asesinos. Lo nunca visto.

–¿De veras?... ¿Y tú cómo lo sabes? –pregunta el abogado Rosello, primo de la mujer de Roscio.

–Lo observé mientras el sargento le dictaba la denuncia al farmacéutico: si recordáis, yo entré en la farmacia con ellos.

–¿Y se lo ha dicho al sargento? –pregunta Pecorilla.

–Sí, le dije que examinara bien la carta... Me contestó que lo haría.

–Pues entonces lo habrán hecho –repuso don Luigi, aliviado pero también disgustado de que la revelación no fuera tan peligrosa para Laurana.

–Es raro que el sargento no me haya dicho nada –dijo Rosello.

–Será que el indicio no conducía a nada –dijo el jefe de Correos. Y con cara iluminada a Laurana–: ¿Entonces por eso me preguntaba...?

–No –lo cortó Laurana.

En esto el coronel Salvaggio, coronel retirado, siempre presto a saltar en cuanto imprecisiones, dudas o críticas tocasen de algún modo el ejército, los carabineros, la policía, se había puesto solemnemente en pie y dirigiéndose a Rosello decía:

–¿Quiere explicarme por qué el sargento tendría que haberle dicho nada del indicio que sea?

–Por ser pariente de una de las víctimas, hombre, sólo por eso –se apresuró a explicar Rosello.

–Ah –dijo satisfecho el coronel: había creído que Rosello pretendía informes del sargento por un derecho que le daban sus cargos políticos. Pero no del todo satisfecho, volvió a la carga–: Le hago, con todo, notar que ni aun al pariente de una de las víctimas puede el sargento revelar lo que es secreto de sumario. No puede y no debe, y si lo hace está faltando gravemente, repito, gravemente, a un deber fundamental...

–Lo sé... –dijo Rosello–, lo sé... Pero por amistad...

–El Cuerpo de Carabineros no tiene amigos –gritó casi el coronel.

–Pero los sargentos de carabineros sí –replicó Rosello.

–Los sargentos son el Cuerpo de Carabineros, los coroneles son el Cuerpo de Carabineros, los cabos son el Cuerpo de Carabineros... –El coronel parecía delirar, la cabeza empezó a temblarle, anuncio de uno de los arrebatos que los socios del casino conocían bien.

Rosello se levantó, por señas le indicó a Laurana que quería hablarle, salieron.

–Viejo loco –dijo al salir del casino–. Pero a ver, cuéntame lo de *L'Osservatore Romano*.

VI

Nada pasó después de su revelación en el casino. Tampoco lo esperaba; quería ver el efecto que producía en los presentes, pero la intervención del coronel lo estropeó todo. Sólo consiguió que Rosello le hiciera algunas confidencias sobre la marcha de la investigación. El coronel Salvaggio, de haberlas oído, se habría tirado de los pelos, pero en realidad se reducían a poco: se seguía sospechando de la secreta libido del farmacéutico.

Aunque la observación no surtió el efecto esperado, Laurana tenía la impresión de que entre los socios del casino, y más particularmente entre los asiduos de la farmacia, había algo que descubrir. Y existía un hecho concreto: normalmente los cazadores se callan el lugar al que irán el día en que se levanta la veda, a fin de hallarse los primeros en un terreno de caza virgen. Ésta era la costumbre en el pueblo. Los únicos que conocían el secreto eran los que participarían en la partida, en este caso, por tanto, Manno y Roscio. Rara vez se comunicaba a terceros, y siempre bajo promesa de guardarlo. Pero era frecuente también que se hicieran falsas confidencias. Nadie, pues, que hubiera recibido de Manno o de Roscio la confidencia podía estar seguro de que no era, como se estilaba, una indicación falsa. Salvo que fuera un amigo, un gran amigo, y no cazador por añadidura: a un amigo serio, seguro, leal y no apasionado de la caza, era probable que alguno de los dos hubiera revelado el lugar al que irían de caza aquel día.

Cuando acompañó a su madre a visitar a la viuda del farmacéutico y a la del doctor, Laurana tuvo ocasión de comprobar un detalle. Les hizo a las dos la misma pregunta:

–¿Le dijo su marido adónde habían decidido ir de caza?

–Justo cuando salía me dijo que a lo mejor iban a Cannatello –contestó la viuda de Manno; Laurana anotó mentalmente aquel «a lo mejor», que le pareció revelador de la resistencia del farmacéutico a descubrir el secreto hasta a su mujer, cosa que sólo hizo al irse.

–¿Y le dijo lo del anónimo?

–No, no me lo dijo.

–No querría que se preocupase.

–Sí –dijo la viuda, secamente y con un dejo irónico.

–Además, creía que era una broma, como nosotros.

–Una broma –dijo la viuda suspirando–, una broma que le ha costado a él la vida y a mí la honra.

–A él la vida sí, por desgracia, pero a usted... ¿por qué lo dice?

–¿Por qué lo digo? ¿No ha oído las cosas vergonzosas que dicen por ahí?

–Habladurías –dijo la anciana señora Laurana–; habladurías de las que nadie con espíritu caritativo y buen juicio hará caso. –Y como tampoco ella estaba excesivamente dotada de espíritu caritativo–: ¿Porque no le dio nunca su difunto marido motivos para sospechar...?

–Nunca, señora, nunca... Han puesto en boca de mi sirvienta que yo le monté una escena de celos por esa... esa muchacha, vamos, que pobrecilla venía a la farmacia por necesidad... Y si viera usted lo tonta, lo ignorante que es; con sólo oír hablar de carabineros se echa a temblar... Ha dicho lo que han querido... Y a ésos, a los Roscio, a los Rosello, hasta al santo del arcipreste..., les ha faltado tiempo para decir que el doctor, que en paz descanse también, murió por culpa de los vicios de mi marido. Como si aquí no nos conociéramos todos, como si aquí no se supiera quién es quién, y lo que hace, si trapichea, si roba, si... –Se llevó la mano a la boca, para que no salieran consideraciones aún más injuriosas. Luego, con deliberada malevolencia, suspiró–: El pobre doctor Roscio, ¡en qué familia fue a entrar!

–No creo yo que... –empezó a decir Laurana.

–Nos conocemos todos, le digo –lo interrumpió la señora Manno–. Usted, ya se sabe, se dedica sólo a sus estudios, a sus libros... –dijo, casi con desprecio–. No tiene tiempo de pensar en ciertas cosas, de ver ciertas cosas; pero nosotras –y se volvió hacia la anciana señora Laurana en actitud de inteligencia–, nosotras sabemos...

–Sí, sabemos –reconoció la anciana.

–Y yo fui a la escuela con Luisa, la mujer de Roscio... ¡Qué carácter!

Ante aquel carácter, en agravio del cual había evocado la señora Manno recuerdos de inocentes picardías escolares y la sombra de una monja que la adoraba, se hallaba ahora Laurana, a una luz atenuada por pesados cortinones, como conviene a una casa en luto. Por todas partes había señales de duelo –hasta los espejos estaban cubiertos con velos negros–, pero lo que más hablaba del luto era el retrato de Roscio, ampliado a tamaño natural por un fotógrafo de la capital, y tan lúgubremente retocado y enlutado en traje y corbata (pues en el concepto social y estético del fotógrafo todos los muertos cuya foto ampliaba estaban obligados, por su propia muerte, a ir de luto), tan forzado a torcer la boca con amargura y a mirar con ojos cansados y suplicantes, que a la luz de la lamparita que tenía delante parecía un cómico caracterizado de fantasma.

–No, nunca me lo decía –había contestado Luisa Roscio a la pregunta de si sabía adónde iría a cazar su marido–. Porque yo, la verdad, su pasión por la caza no la veía con buenos ojos, y tampoco me gustaba la pareja que se había echado... No es que supiera nada, entiéndame... Era como un presentimiento, una corazonada... ¡Y por desgracia la mala suerte me ha dado la razón! –Y con un suspiro de dolor, casi un gemido, se llevó el pañuelo a los ojos.

–Ha sido el destino, ¿y qué se puede hacer contra el destino? –la consoló la señora Laurana.

–Sí, el destino... Pero ¿qué quiere? Cuando pienso en lo tranquilos y felices que vivíamos, sin preocupaciones, sin problemas... Y ahora, Dios me perdone, estoy desesperada, desesperada... –Bajó la cabeza y rompió a llorar en silencio.

–No, no, no –desaprobó dulcemente la anciana–, nada de desesperar; encomiéndese usted a Dios, ofrézcale su dolor...

–Al Corazón de Jesús; lo mismo me dice mi tío el arcipreste... ¿Ve qué preciosa imagen del Corazón de Jesús me ha traído? –Señaló el cuadro, que la anciana tenía detrás; la anciana se volvió, retiró la silla como si hasta ese momento hubiera cometido una irreverencia, mandó un beso a la imagen diciendo, como si lo saludara–: Sagrado Corazón de Jesús... –Y añadió–: Precioso, precioso de verdad, ¡y qué mirada!

–Una mirada que consuela –reconoció la señora Luisa.

–¿Ve como el consuelo del Señor no le falta? –dijo la anciana en tono de sereno triunfo–. Y otras razones de consuelo, de esperanza, tampoco le faltan ni le faltarán: su hija, debe usted pensar también en su hija...

–Lo hago. Si no fuera por ella, no sé qué locura cometería.

–Y la niña –titubeando–, ¿sabe algo?

–No sabe nada, pobrecita mía, nada; le hemos dicho que papá se ha ido de viaje, que volverá...

–Pero al verla a usted de negro, ¿no pregunta por qué?, ¿no quiere saber?

–Nada. Al contrario, me ha dicho que estoy más guapa de negro y que me vista siempre así... –Con la diestra se llevó a la cara el pañuelo blanco a rayas negras y estalló en un llanto casi incontenible; con la izquierda tiró hacia abajo del borde de la falda, que enseguida, ante la mirada de Laurana, subió de nuevo más arriba de la rodilla. Y sollozando–: Y así será de verdad, siempre: siempre vestida de negro, siempre...

«Tiene razón la hija», pensó Laurana; hermosa mujer, y el negro le sentaba de maravilla; hermoso cuerpo: lleno, esbelto, un si es no es indolente, lánguido, relajado aun cuando más tensa estaba. Y la cara llena, aunque no llena como de mujer que ha superado los treinta, como de adolescente más bien, resplandecía con los ojos castaños, casi dorados, y con el destello de los dientes perfectos entre los labios gruesos. «Me gustaría verla sonreír»; pero desesperó de que tal milagro se produjese en aquella situación, con aquellas conversaciones a que su madre daba pie. Pero se produjo cuando hablaron del farmacéutico y de las infidelidades que ya todos le imputaban.

–No digo que no tuviera sus razones: la pobre Teresa Spanò no ha sido nunca una beldad. Fuimos juntas a la escuela, entonces ya era así, e incluso más fea. –Sonrió, luego se ensombreció de nuevo al decir–: Pero mi marido, ¿qué culpa tenía? –Y siguió sollozando con el pañuelo en la boca.

VII

Que un crimen se ofrezca al investigador como un cuadro cuyos elementos materiales y, por así decirlo, estilísticos permitan, debidamente descubiertos y analizados, una inculpación segura, es corolario de todas esas novelas policiacas de las que bebe buena parte de la humanidad. La realidad, sin embargo, es muy distinta: el grado de impunidad y error es alto no porque sea bajo el coeficiente intelectual del investigador (o no solamente o no siempre por eso), sino porque los elementos que un crimen presenta suelen ser absolutamente insuficientes; son crímenes, digamos, cometidos u organizados por gente con toda la buena voluntad de contribuir a tener alto el grado de impunidad.

Los medios conducentes a la resolución de un crimen con ribetes de misterio o gratuidad son la «confidencia» digamos profesional, la delación anónima, el azar. Y un poco, sólo un poco, la sagacidad del investigador.

Al profesor Laurana el azar se le presentó en Palermo, en septiembre. Llevaba ya en la ciudad varios días como miembro del tribunal examinador de un instituto, y en el restaurante que frecuentaba se encontró con un compañero de estudios al que hacía mucho que no veía pero cuya carrera política había seguido de lejos. Comunista: primero secretario de sección en un pueblecito de las Madonias, luego diputado regional, por último diputado nacional. Recordaron, como es natural, sus tiempos de estudiantes, y cuando mentaron al pobre Roscio dijo el diputado:

—Me causó una gran impresión su muerte porque vino a verme quince o veinte días antes. No nos veíamos desde hacía al menos diez años. Se presentó en Roma, en la cámara de diputados. Lo reconocí enseguida, no había cambiado... Nosotros quizá sí, un poco... Yo pensé que su muerte estaba relacionada con esta visita que me hizo a Roma, pero luego he sabido que no, que al parecer murió por acompañar a no sé quién que sedujo a una muchacha... ¿Y sabes por qué vino a verme? Para preguntarme si estaba dispuesto a denunciar en el congreso, en nuestra prensa, en los mítines, a un personaje de vuestro pueblo, dueño de la provincia, que hacía y deshacía, robaba, corrompía, intrigaba...

—¿Uno del pueblo? ¿Seguro?

—Ahora que lo pienso, no recuerdo que me dijera explícitamente que era uno del pueblo: quizá me lo dio a entender, quizá tuve yo esa impresión...

—¿Un personaje, dueño de la provincia?

—Sí, eso lo recuerdo bien: así dijo... Yo, naturalmente, le contesté que estaría más que contento si pudiera denunciarlo, promover el escándalo; pero claro, necesitaba papeles, pruebas... Me dijo que tenía una carpeta llena, que me la traería... Pero no volvió a dar señales de vida.

–No me extraña.

–Claro, como que estaba muerto.

–No, no quería hacer un chiste; pensaba en tu sospecha de que hubiera relación entre su viaje a Roma y su muerte... Recuerdo que desapareció un par de días, luego dijo que había estado en Palermo con su padre... Pero me parece casi imposible: Roscio queriendo denunciar a alguien, con una carpeta llena de documentos... ¿Estás seguro de que era Roscio?

–¡Toma!, ¿no te digo que lo reconocí enseguida, que no había cambiado...?

–Es verdad, no había cambiado... ¿Y no te dijo a quién quería denunciar?

–No.

–¿Ni te dio alguna pista, algún detalle?

–Nada. Al contrario, yo quise saber más y él me dijo que una cosa tan delicada, tan personal...

–¿Personal?

–Sí, personal... Y que o me lo diría todo, papeles en mano, o nada... Y te confieso que al oírle comentar que aún debía decidir si decirme todo o no decirme nada me sentí algo violento... Tuve la impresión de que aquellos documentos, y el que hubiera venido a verme, dependían de una especie de chantaje: si la cosa iba bien, nada; si iba mal, a mí con los papeles...

–No, no era de los que hacen chantaje.

–Entonces, ¿cómo te explicas su actitud?

–No lo sé, es muy raro, casi increíble.

–Y ésa es otra, por cierto: que tú, que lo tratabas y lo conocías bien, no concibas que quisiera atacar a alguien, ni sepas a quién ni por qué... ¿No te parece que hay algo equívoco?

–Tampoco lo trataba tanto... Además, era una persona cerrada, que no daba confianza; por eso nunca hablábamos de cosas personales, íntimas; hablábamos de libros, de política...

–¿Y de política qué pensaba?

–Pensaba que hacer política sin tener en cuenta los principios morales...

–Eso es indiferentismo político –susurró el diputado.

–En tal caso, también yo soy un indiferentista político.

–¿De veras?

–Lo que no me impide votar al partido comunista.

–Ah, bueno –aprobó el diputado.

–Pero con mucho malestar, con mucha inquietud.

–¿Y eso por qué? –preguntó el diputado con expresión de buen humor e indulgencia, que prometía la inmediata demolición de cualquier razón que adujese Laurana.

–Dejémoslo, no conseguirías convencerme de votar en contra.

–¿En contra?

–En contra del partido comunista.

–Muy bueno –dijo el diputado riendo.

–No tanto –repuso, serio, Laurana; y volvió al tema de Roscio, que quizá votaba también a los comunistas, aunque se guardaba mucho de decirlo–: Por respeto a su familia, mejor dicho, a la familia de la mujer, toda ella metida en política, empezando por el arcipreste...

–¿El arcipreste?

–Sí, el arcipreste Rosello, tío de la mujer... Por eso Roscio, por respeto o quizá por evitar conflictos familiares, prefería no adoptar posiciones claras. Aunque debo decir que últimamente se mostraba más duro, más crítico, cuando hablaba de políticos y de política..., de política gubernamental, digamos.

–Le quitarían alguna prebenda, algún cargo...

–No creo... Verás, no era como tú ahora puedes imaginarte... Amaba su trabajo; amaba el pueblo, las tardes en el casino o en la farmacia, la caza, los perros; pienso que quería muchísimo a su mujer, y adoraba a su hija...

–¿Eso es todo? Podía amar el dinero, tener ambiciones...

–Dinero tenía. Y no tenía ambiciones... Además, a alguien que ha elegido vivir en un pueblo, que está decidido a no salir de él, ¿qué ambiciones pueden quedarle?

–Un médico rural como los de antes, vamos, de esos que vivían de lo suyo, no cobraban las visitas y hasta prestaban a los pobres el dinero para las medicinas...

–Algo parecido. Pero ganaba bastante, su fama de buen médico alcanzaba también a los pueblos vecinos, tenía muchos pacientes. Y luego estaba el nombre: Roscio, el viejo profesor Roscio... A propósito, creo que iré a visitarlo.

–Y entonces, ¿piensas de veras que la muerte de Roscio tiene que ver con su oposición al misterioso personaje?

–No, eso no. Al contrario, todas las apariencias hablan en contra de esa sospecha. Roscio murió porque incautamente (y digo incautamente porque conocía la amenaza) acompañó al farmacéutico Manno; éstas son las apariencias.

–Pobre Roscio –dijo el diputado.

VIII

El viejo profesor Roscio, cuya fama de oculista perduraba en la Sicilia occidental y hasta tendía ya al mito, hacía veinte años que abandonó cátedra y profesión. Con más de noventa años, por ironía del destino o por encarnar mejor el mito del hombre que desafió a la naturaleza devolviendo la vista a los ciegos y con la vista lo pagó, padecía una ceguera casi total, y habitaba en Palermo, en casa de un hijo que, en tanto que oculista, seguramente era tan bueno como él, pero vivía de las rentas del nombre paterno, en opinión de la mayoría.

Laurana anunció por teléfono su visita, para el día y la hora que al profesor más conviniese. El viejo profesor, enterado por la criada, acudió al teléfono y le contestó que fuera enseguida; no es que, por las señas que le dio Laurana, se acordase de aquel viejo camarada del hijo; pero estaba avidísimo de compañía, en la oscura soledad en la que ya vivía.

Eran las cinco de la tarde. El profesor estaba en la terraza, sentado en una butaca, con un gramófono al lado del que, ora estentórea, ora trémula y llena de suspiros, salía la voz de un actor famoso declamando el canto trigésimo del *Infierno*.

–¿Ve cómo he acabado? –dijo el profesor tendiédole la mano–. Oyéndole a éste la *Divina comedia* –añadió como si el actor estuviera presente y el profesor tuviera razones más personales para despreciarlo–. Preferiría que me la leyese mi nieto, que tiene doce años, o la criada, o el portero, pero tienen otras cosas que hacer.

Más allá de la balaustrada, bajo cendales de siroco, Palermo refulgía.

–Bonita vista –dijo el profesor, y con seguridad fue indicando–: San Juan de los Eremitas, palacio de Orleans, Palacio Real. –Sonrió–. Cuando vinimos a vivir a esta casa, hace diez años, veía algo más. Ahora veo sólo la luz, pero como una lejana llama blanca. Por suerte en Palermo hay tanta luz... Pero dejemos nuestras desventuras personales... Fue usted, pues, compañero de mi pobre hijo.

–Hasta la universidad; él hizo luego medicina y yo letras.

–Letras. Y es usted profesor, ¿no?

–Sí, de latín y de historia.

–¿Sabe que yo siento no haber sido profesor de letras? Al menos ahora me sabría de memoria la *Divina comedia.*

«Es una manía que tiene», pensó Laurana.

–Pero usted ha hecho en la vida mucho más que leer y explicar la *Divina comedia.*

–¿Cree que lo que yo he hecho tiene más sentido que lo que hace usted?

–No. Quiero decir que lo que yo hago pueden hacerlo miles de personas, mientras que lo que usted ha hecho sólo muy pocos, diez o veinte personas en todo el mundo.

–Cuentos –dijo el anciano, y pareció adormilarse. Al poco preguntó de pronto–: Y mi hijo, últimamente, ¿cómo estaba?

–¿Cómo estaba?

–Digo, ¿se mostraba preocupado, inquieto, nervioso?

–No creo. Aunque ayer, hablando con una persona que lo vio en Roma, recordé que sí, que últimamente estaba un poco cambiado, al menos en ciertas cosas. Pero ¿por qué me lo pregunta usted?

–Porque también a mí me parecía algo cambiado... Pero ¿dice que una persona lo vio en Roma?

–Sí, en Roma, quince o veinte días antes de la desgracia.

–Extraño... ¿No se confundirá por casualidad esa persona?

–No se confunde. Es un amigo, un compañero de estudios. Es diputado, comunista. Su hijo fue a Roma precisamente a verlo.

–¿A verlo? Extraño, muy extraño... No creo que quisiera pedirle un favor: aunque los comunistas, de algún modo, estén también en el poder, siempre es más fácil obtener favores de éstos –y señaló con la mano el palacio de Orleans, sede del gobierno regional–. Y a éstos mi hijo los tenía hasta en casa, y gente bien poderosa, según me dicen.

–No era un favor precisamente lo que fue a pedirle. Quería que nuestro amigo denunciase en la cámara los abusos y robos de cierta persona notable.

–¿Mi hijo? –se asombró el anciano.

–Sí, y también yo estoy sorprendido.

–Lo cierto es que estaba cambiado –observó el viejo como para sí–. Estaba cambiado y no sé exactamente desde cuándo, no recuerdo la primera vez que vi en él cierto cansancio, cierto hastío, y una severidad que me recordó a su madre... Mi mujer era de una familia de arrendatarios que entre el año 26 y el 30 se las vio y se las deseó para librarse de la red que les echó encima Cesare Mori*... Y no, no amaba mucho a su prójimo... O quizá es más exacto decir que no lo entendía, y nadie hizo nunca nada por ayudarla a entenderlo, yo menos que nadie... Pero ¿de qué estábamos hablando?

–De su hijo.

–Sí, de mi hijo... Era inteligente, pero de una inteligencia tranquila, lenta. Y era muy honrado... Quizá de mi mujer le venía un gran apego a la tierra, al campo. Sólo esto, porque su abuelo, el padre de mi mujer, vivía en el campo como un salvaje, y también mi mujer; y mi hijo, en cambio, le echaba mucha literatura, creo... Era un muchacho, un hombre, de esos que parecen sencillos y son condenadamente

* Cesare Mori (1871-1942) fue un político italiano al que Mussolini nombró prefecto de Palermo en 1925 con el cometido particular de erradicar la Mafia; la dureza de los métodos que empleó le valió el sobrenombre de «Prefecto de Hierro». *(N. del T.)*

complicados... Por eso no me gustó que entrara en una familia católica, cuando se casó... Y digo católica por decir, en mi vida he conocido aquí un católico auténtico, y voy a cumplir noventa y dos... Hay gente que se habrá comido en su vida no sé cuántos kilos de trigo hecho hostias, pero que no por eso es menos capaz de meter la mano en el bolsillo ajeno, soltarle una patada en la cara al moribundo o un escopetazo por la espalda al sano... ¿Usted conoce a mi nuera, a su familia?

–No íntimamente.

–Yo nada. He visto pocas veces a mi nuera, y sólo una a ese tío suyo canónigo, o arcipreste, o lo que diablos sea.

–Arcipreste.

–Un hombre de lo más dulce. Quería convertirme. Suerte que estaba de paso, si no habría acabado trayéndome por sorpresa el Santísimo... No entendió que yo soy un hombre religioso... Pero mi nuera es muy bella, ¿verdad?

–Muy bella.

–O quizá mucha mujer, «mujer de cama», como decíamos cuando yo era joven –añadió con distanciamiento de entendido, como si no hablara de la mujer de su difunto hijo, y dibujando con las manos un cuerpo tendido–. Creo que esta expresión no se usa ahora, la mujer ha perdido el misterio de la alcoba y el del alma. ¿Y sabe qué pienso? Que la Iglesia católica está cosechando hoy día su mayor triunfo: el hombre por fin odia a la mujer. No lo consiguió ni en los siglos más graves, más oscuros. Lo ha conseguido hoy. Y quizás un teólogo diría que ha sido un ardid de la Providencia: el hombre creía correr por la gran vía de la libertad, también en cuestión de erotismo, y en cambio ha acabado en el fondo del antiguo pozo.

–Sí, tal vez... Aunque me parece que, en el mundo digamos cristiano, nunca había sido el cuerpo de la mujer tan exaltado, tan expuesto como hoy, y la misma función de reclamo, de fascinación, que la publicidad da a la mujer...

–Ha dicho usted una palabra que es la clave de la cuestión: expuesto, el cuerpo de la mujer está expuesto. Expuesto como antiguamente dejaban expuestos a los ahorcados... Se ha hecho justicia, quiero decir... Pero estoy hablando demasiado, mejor será que descanse un poco.

Laurana lo entendió como una despedida, se puso en pie.

–No se mueva –dijo el viejo, alarmado al ver que se le escapaba tan pronto la rara ocasión de conversar. De nuevo pareció adormilarse, caer en el sueño con su hermoso perfil de medalla, el mismo que generaciones de estudiantes habían de ver en un bajorrelieve de bronce en el vestíbulo de la universidad, en un bajorrelieve con una de esas inscripciones de las que, si llegasen a leerla, reirían. «Así caerá también en la muerte», pensó Laurana, y se quedó mirándolo con cierta angustia, hasta que el anciano, inmóvil siempre, como siguiendo el hilo del pensamiento en el que se había sumido, dijo–: Hay cosas, hechos, que es mejor dejarlos en la oscuridad en que están... Proverbio, norma: el muerto está muerto, ayudemos al vivo. Si usted dice este proverbio a uno del norte, éste se imaginará un accidente con un muerto y un herido, y que lo razonable es dejar al muerto y ver de salvar al herido. Un siciliano, en cambio, piensa en el asesino y en su víctima; y el vivo al que ayudar es precisamente el asesino. Qué es, además, un muerto para un siciliano quizá lo comprendió ese Lawrence que contribuyó a llevar al eros al callejón sin salida: un muerto es una ridícula ánima del purgatorio, un pequeño gusano con apariencia humana que da saltitos sobre ladrillos que queman... Pero se comprende que cuando el muerto es de la sangre de uno, hay que hacer lo posible para que el vivo, o sea, el asesino, se reúna pronto con él entre las llamas del purgatorio... Pero hay algo en la muerte de mi hijo que me hace pensar en los vivos, preocuparme por los vivos...

–¿Los vivos que son los asesinos?

–No, no los vivos que directa, materialmente lo mataron. Los vivos que lo desengañaron, que le hicieron ver ciertas cosas de la vida, hacer otras... Quien ha tenido la suerte de alcanzar la edad que yo tengo llega a creer que la muerte es un acto de voluntad, un pequeño acto de voluntad en mi caso: un día me cansaré de oír a éste –señalando el gramófono–, el ruido de la ciudad, a la criada que hace seis meses canta *Una lacrima sul viso* y a mi nuera que lleva diez años preguntando todas las mañanas por mi salud con la mal disimulada esperanza de saber que estoy en las últimas, y decidiré morir, igual que cuelga uno el teléfono cuando al otro lado tiene a un pesado o a un necio... Pero quiero decir una cosa: que puede haber en un hombre una experiencia, una pena, una idea, un estado de ánimo que hagan de la muerte una simple formalidad. Y entonces, si hay responsables, es preciso buscarlos entre los allegados, y en el caso de mi hijo podría empezarse por mí, porque un padre es siempre culpable, siempre. –Los ojos apagados parecían perderse en la lejanía del pasado, de los recuerdos–. Como ve, también yo soy de los vivos a los que hay que ayudar.

Laurana sospechó que en aquellas palabras había una especie de doble fondo, o al menos una oscura, dolorosa intuición. Preguntó:

–¿Está pensando en alguien en concreto?

–Oh, no, en nadie en concreto. Pienso en los vivos, como le digo. ¿Y usted?

–No sé.

Se hizo un silencio. Laurana se levantó para despedirse. El anciano le tendió la mano, dijo:

–Es un problema. –Y quizá se refería al crimen, quizá a la vida.

IX

Volvió al pueblo a fines de septiembre. Y nada nuevo había, como enseguida lo informó el abogado Rosello, en el casino, llevándoselo aparte para que no los oyera el terrible coronel. Pero era Laurana quien tenía novedades que contarle a Rosello: el encuentro con el diputado, la historia de los documentos que Roscio había prometido al político a condición de que promoviese un escándalo.

Rosello estaba asombrado. Lo escuchó diciendo una y otra vez: «¡Vaya!», y luego empezó a calentarse la cabeza haciendo preguntas y esforzándose por recordar una señal, una palabra de Roscio que pudiera tener alguna conexión con aquella increíble historia.

–Yo creía que tú sabías algo –dijo Laurana.

–¿Algo? Si estoy boquiabierto.

–Quizá se explique por el hecho de que pensaba atacar a alguien de tu partido y no quería que tú te metieras e intentaras convencerlo de desistir. Era terco, pero también podía ser muy dócil. Si hubieras sabido algo, habrías intervenido para hacer presión, poner paz: no te habrías quedado indiferente viendo amenazado a un hombre de tu partido y, por tanto, al partido mismo...

–Cuando se trata de la familia, de alguien de la familia, no hay partido que valga. Si se hubiera dirigido a mí, Roscio habría obtenido toda la satisfacción que quería.

–Pero quizá era eso lo que no quería: que tú comprometieras tu posición por algo que era asunto suyo. De hecho dijo que era delicado y personal.

–Delicado y personal... ¿Y estás seguro de que no mencionó a nadie, que no dio ningún dato que permita identificar, siquiera de manera aproximada, a ese personaje notable?

–Nada.

–Ya sé. Voy a llamar a mi prima y vamos a hablar con ella. Algo debió de decirle Roscio a su mujer... Ven.

Fueron al teléfono, Rosello habló con la prima: que estaba allí el profesor Laurana, que se había enterado de ciertas cosas, cosas incomprensibles, cosas que quizá sólo ella podía explicar, y que si no le molestaba que se pasaran un momento por su casa, aunque quizá no eran horas.

–Vamos –dijo Rosello tras colgar.

La señora tenía la mano puesta en el pecho, por la ansiedad de saber lo que el profesor tenía que decirle. La sorprendió mucho lo del viaje a Roma de su marido y, mirando a su primo, dijo:

–Sería cuando dijo que iba a Palermo, dos o tres semanas antes de la desgracia.

Pero de lo otro nada sabía. Sí, era posible que de un tiempo a aquella parte su marido estuviera algo preocupado, hablaba menos, sufría frecuentes migrañas.

–También su padre, el viejo profesor Roscio, me ha dicho que lo encontraba cambiado últimamente.

–¿Ha visto usted a mi suegro?

–Ese viejo tremendo –dijo Rosello.

–Sí, le hice una visita... Tendrá sus rarezas, pero es lúcido, diría que despiadado...

–Es un hombre sin fe –dijo la señora–, ¿cómo va a tener piedad un hombre sin fe?

–Despiadado intelectualmente, quiero decir... En cuanto a la fe, creo que sí tiene.

–No tiene –dijo Rosello–. Es un ateo impenitente, de esos que no ceden ni aun en el lecho de muerte.

–Tampoco creo que sea un ateo –dijo Laurana.

–Es anticlerical –dijo la señora–. Una vez fuimos a visitarlo con mi tío arcipreste. Mi marido y yo, y mi tío... ¿Y qué dijo? Me daban escalofríos, oiga. –Y cruzando las manos se estrechó los bellos brazos desnudos como si aún los sintiera.

–¿Qué dijo?

–Cosas que no puedo repetir, cosas que no había oído en mi vida... Y mi pobre tío arcipreste con su pequeño crucifijo de plata en la mano hablándole de misericordia, de amor...

–Sí, me dijo que el arcipreste era un hombre muy dulce.

–Bien puede decirlo –dijo la señora.

–El tío arcipreste es un santo –encareció Rosello.

–No, eso no se puede decir, no se debe decir. Los santos –observó la señora– no podemos hacerlos nosotros... El tío arcipreste, esto sí puede decirse, tiene un corazón tan grande que hace pensar en la santidad.

–Su marido –dijo Laurana– físicamente se parecía mucho al padre, y un poco también en la manera de pensar.

–¿A ese viejo demonio? ¡Por Dios!... Mi marido tenía gran respeto por el tío arcipreste, por la Iglesia. Me acompañaba todos los domingos a misa. Observaba el viernes. Y nunca dijo una palabra de burla, de duda, sobre cosas de religión... Y yo, aunque lo quería mucho, ¿cree que me habría casado si hubiera tenido la sospecha, sólo la sospecha, de que pensaba como su padre?

–La verdad –dijo Rosello– es que era un hombre difícil de entender. Qué pensaba de religión, de política, creo que ni tú, su mujer, puede decirlo con seguridad...

–Lo que sé es que era muy respetuoso –repuso la señora.

–Eso sí, muy respetuoso... Pero por lo que acaba de decirnos Laurana, está claro que era una persona cerrada, que ni siquiera a ti te confiaba lo que pensaba o tenía en mente.

–Eso es verdad –suspiró la señora. Y a Laurana–: Y a su padre, ¿tampoco le dijo nada a su padre?

–Nada.

–¿Y al diputado le dijo que era algo delicado y personal?

–Sí.

–¿Y le prometió documentos?

–Una carpeta entera.

–¿Y si –propuso Rosello a la prima– mirásemos en sus cajones, en sus papeles?

–Yo quisiera que todo quedara como él lo dejó, no me veo con ánimos de tocar nada.

–Pero es para quitarnos esa preocupación, esa inquietud... Además, si resulta, no sé, que alguien le hizo algún mal, yo, por respeto a su memoria, por el cariño que le tenía, puedo seguir, llegar hasta el final...

–Tienes razón –dijo la señora poniéndose en pie.

Alta, de pecho exuberante, desnudos los brazos hasta el tupido vellón de los sobacos, exhalando un aroma en el que un olfato más experimentado (y una naturaleza menos ardiente) habría distinguido el perfume Balenciaga del olor a sudor, por un momento dominó al profesor como la *Victoria de Samotracia* domina al que sube por las escaleras del Louvre.

Los condujo al despacho, estancia algo sombría o que tal parecía porque la luz daba en el escritorio y dejaba en sombra las estanterías severas, repletas de libros. En el escritorio había un libro abierto.

–Estaba leyéndolo –dijo la señora.

Metiendo en medio dos dedos a modo de señal, Rosello lo cerró, leyó el título:

–*Cartas a la señora Z*... ¿Qué es? –preguntó a Laurana.

–Muy interesante, de un polaco.

–Leía mucho –dijo la señora.

Más delicadamente de como lo cogió, Rosello dejó el libro abierto sobre la mesa.

–Veamos primero los cajones –dijo. Y abrió el primer cajón.

Laurana se inclinó sobre el libro abierto, una frase le saltó a la vista: «Únicamente la acción que toca el orden de un sistema pone al ser humano ante la cruda luz de las leyes», y ampliando la visión de la página, como si abriera un diafragma, sin recorrer las líneas, reconoció el lugar del pasaje, el contexto: el escritor habla de Camus, de *El extranjero*. «¡El orden de un sistema! ¿Y dónde está aquí el sistema? ¿Lo ha habido, lo habrá algún día? Ser extranjero, en la verdad o en la culpa, y a la vez en la verdad y en la culpa, es un lujo que podemos permitirnos cuando existe el orden de un sistema. Pero si consideramos sistema ése en el que el pobre Roscio ha desaparecido, entonces el ser humano es más extranjero en el papel de verdugo que en el de condenado; está más en la verdad cuando guillotina y menos cuando es guillotinado.»

Se había puesto a buscar también la señora: estaba acuclillada ante el cajón más bajo del escritorio, inmersa en un haz de luz y de sombra: como desnuda, la cara misteriosamente oculta por la oscura mata de pelo. Los pensamientos de Laurana se disolvieron al negro sol del deseo.

La señora cerró el cajón, se levantó ligera, como en un paso de baile.

–Nada –dijo, pero sin decepción, como si hubiera buscado solamente por dar gusto al primo.

–Nada –dijo también Rosello en el mismo tono, ordenando los últimos papeles.

–A lo mejor tenía caja fuerte en el banco –dijo Laurana.

–Eso estaba yo pensando –dijo Rosello–, mañana intentaré averiguarlo.

–Imposible: él sabía que aquí nadie tocaba sus cosas, sus libros, sus papeles; ni siquiera yo... Era muy meticuloso –dijo la señora, en un tono que dejaba traslucir que ella no lo era.

–Desde luego es un misterio –dijo Rosello.

–Pero no creerás que lo del diputado comunista, los documentos, tiene que ver con su muerte, ¿no? –le preguntó la prima.

–Ni por pienso. –Y dirigiéndose a Laurana–: ¿Tú qué crees?

–Cualquiera sabe.

–Oh –dijo la señora, casi con un grito–. Entonces, ¿piensa usted...?

–No, yo no pienso nada... Pero a estas alturas, con la policía siguiendo la pista de unas aventuras galantes del farmacéutico que no existen, cualquier hipótesis vale.

–¿Y el anónimo? ¿El anónimo que recibió el farmacéutico amenazándolo? ¿Cómo se explica? –preguntó Rosello.

–Eso, ¿cómo se explica? –apremió la señora.

–Se explica –dijo Laurana– por la astucia de los

asesinos: el farmacéutico como blanco falso, como tapadera...

–¿De verdad lo cree? –preguntó la señora, con estupor, con angustia.

–No, no lo creo.

La señora pareció aliviada. «Se ha aferrado a la idea de que su marido murió por culpa del farmacéutico y piensa que cualquier otra hipótesis empaña su memoria, su culto», se dijo Laurana. Y se reprochó haberla preocupado con aquella hipótesis suya que, en verdad, no creía tan infundada.

X

–Un personaje que corrompe, roba, intriga... ¿Usted en quién pensaría?

–¿Del pueblo?

–Del pueblo, de la comarca, de la provincia.

–Me plantea usted un problema difícil –dijo el párroco de Santa Ana–. Porque si nos limitamos al pueblo, hasta los niños que aún no han nacido pueden responder... Pero si nos extendemos a la comarca, a la provincia, ya es la confusión, el vértigo...

–Limitémonos al pueblo –dijo Laurana.

–Rosello, el abogado Rosello.

–Imposible.

–Imposible ¿qué?

–Que sea él.

–¿Que sea él quien corrompe, roba, intriga?... Pues entonces, perdone que le diga, vive usted en las nubes.

–No, no... Quiero decir: imposible que la persona con la que he hablado se refiriese a él. Imposible.

–¿Y quién es la persona con la que ha hablado?

–No puedo decírselo –dijo, sonrojado, rehuyendo la mirada del párroco que de pronto se volvió aguda.

—Mi querido profesor: no le ha dicho quién es ese personaje, no le ha dicho de qué pueblo, le ha dado unas señas que, se lo aseguro, corresponden, excluyendo a los señores que ya están entre las patrias rejas, ¿qué sé yo?, a cien mil personas... ¿Y entre esta legión pretende usted descubrir a su hombre, a su personaje? —Sonrió con compasión, con indulgencia.

—La verdad es que creía que la persona que me lo dijo se refería a alguien del pueblo... Pero si usted me dice que del pueblo sólo puede ser Rosello...

—Rosello es el más importante, en el que primero piensa uno, y el único que entra en la categoría de personaje, estrictamente hablando. Luego están los personajillos, y no faltará quien me incluya a mí entre ellos...

—Quiá... —protestó, sin convicción, Laurana.

—Sí, sí, y quizá con razón... Pero, repito, Rosello es el más importante... ¿Tiene usted idea de quién es Rosello? ¿De sus intrigas, de sus fuentes de ingresos, de su poder, público y oculto? Porque de quién es como ser humano es fácil hacerse una idea: un necio no carente de astucia, que con tal de conseguir un cargo o de seguir en él (un cargo bien remunerado, se entiende), sería capaz de pasar por encima del cadáver de quien fuera... Menos del de su tío el arcipreste, naturalmente.

—Sé qué clase de persona es, pero no en qué consiste exactamente su poder. Usted estará sin duda más informado que yo.

—¡Lo estoy, ya lo creo! Mire: Rosello es miembro

del consejo de administración de Furaris, quinientas mil liras al mes, y también asesor técnico, un par de millones al año; consejero del banco Trinacria, otro par de millones; miembro del comité ejecutivo de Vesceris, quinientas mil al mes; presidente de una compañía de extracción de mármoles preciosos, financiada por Furaris y Trinacria, que, como todos saben, opera en una zona donde no se encontraría un pedazo de mármol ni aunque lo trajeran aposta, porque enseguida desaparecería en la arena; diputado provincial, cargo que, desde el punto de vista económico, no le trae cuenta, porque el sueldo apenas le da para las propinas de los ujieres, pero desde el punto de vista del prestigio... Sabrá usted que fue él quien, en la diputación provincial, convenció a los diputados de su partido para apoyar una alianza con los socialistas en vez de con los fascistas, una de las primeras operaciones de este tipo que se han hecho en Italia. Se ha ganado con eso la estima de los socialistas, y se ganará también la de los comunistas si sabe adelantarse de nuevo a los tiempos dando a su partido otro giro a la izquierda... Es más, puedo decirle que los comunistas de la provincia ya empiezan a poner la mira en él con tímida esperanza... Y ahora pasemos a sus asuntos privados, que yo sólo conozco en parte: terrenos edificables en la capital y, se dice, también en Palermo; un par de constructoras, una imprenta que no para de trabajar para organismos y entes públicos, una empresa de transportes... Y luego están los asuntos más oscuros, y ahí ya es peligroso meter las narices ni aun por pura y desinteresada curiosidad... Le digo sólo esto: si me dijeran que se dedica a la trata de blancas, lo creería sin que me lo jurasen.

–Parece mentira –dijo Laurana.

–Natural... Pero ¿sabe qué? Una vez, en un libro de filosofía, tratando del relativismo, leí que el hecho de que nosotros no veamos las patas de los gusanos del queso no quiere decir que los gusanos mismos no las vean... Yo soy un gusano de ese queso y veo las patas de los demás gusanos.

–Gracioso.

–No tanto –dijo el párroco, y con una mueca de asco–: Estamos siempre entre gusanos.

Esta amarga reflexión llevó a Laurana al borde de la confidencia. ¿Por qué no contarle al párroco lo que sabía del crimen y de Roscio? Un hombre inteligente, agudo, con experiencia y sin prejuicios, ¿no daría acaso con la clave del problema? Pero pensó que el párroco hablaba demasiado, que se complacía en dar una imagen de hombre libre, independiente, corrompido. Además, se sabía que tenía profunda aversión al arcipreste, y si se enteraba de algo que de algún modo arrojara sombras sobre la familia de éste, no se abstendría de adobarlo y propalarlo. Pero a esta reticencia contribuía asimismo, de manera inconsciente, la repugnancia que sentía por la figura del mal cura, aunque en conciencia pensase también que no los había buenos; la misma repugnancia que su madre no ocultaba por el párroco de Santa Ana, a cuya indecencia, como ella decía, oponía la casta conducta del arcipreste.

–Excluyendo a Rosello, ¿quién más de la provincia cumple, digamos, los requisitos?

–Déjeme pensar –pidió el párroco, y preguntó–: ¿Debemos excluir también a diputados, a senadores?

–Excluyámoslos.

–Pues entonces, el señor Fedeli, el abogado Lavina, el doctor Jacopitto, el abogado Anfosso, el abogado Evangelista, el abogado Boiano, el profesor Camerlato, el abogado Macomer...

–Problema insoluble, parece.

–Eso, insoluble, ya se lo he dicho... Son muchos, muchos, más de lo que puede imaginarse quien no esté en el queso... Pero dígame, ¿qué interés tiene usted en el caso?

–Curiosidad, simple curiosidad... Porque he conocido en el tren a una persona que me ha hablado de alguien de aquí que está prosperando por, digamos, medios ilícitos... –Desde que se interesaba en el crimen mentía Laurana con cierta facilidad; y la cosa lo preocupaba un poco, como si hubiera descubierto en su persona una inclinación oculta.

–Pues entonces... –dijo el párroco, mandando la cuestión al diablo con un ademán. Aunque tampoco parecía muy convencido.

–Lamento haberle hecho perder el tiempo –dijo Laurana.

–Estaba leyendo a Casanova, el texto auténtico de sus memorias... en francés –añadió no sin satisfacción.

–Yo aún no lo he leído –dijo Laurana.

–No es que haya muchas diferencias con el texto

que ya conocemos; algo menos florido, quizá... Y reflexionaba en que lo más interesante, si consideramos estas memorias como una especie de manual erótico, lo más verdadero, es esto: que seducir a dos o tres mujeres a la vez es más fácil que seducir a una sola.

–¿En serio? –se maravilló el profesor.

–Se lo digo yo –contestó el párroco llevándose la mano al corazón.

XI

Laurana lo recordaba muy bien: hasta la víspera del crimen, Roscio y Rosello se saludaban, se hablaban. Cierto que no con la intimidad de los parientes o la efusión de los amigos, pero es que Roscio mostraba con todos, incluso con Manno el farmacéutico, su pareja en la caza, una distancia que podía parecer frialdad, indiferencia. Y su conversación, en realidad, se limitaba a las respuestas: cuanto más numeroso era el grupo, más ensimismado y ausente era su silencio. Solamente con un viejo compañero como Laurana, a solas o aparte, se abandonaba un poco. Y podía suponerse que lo mismo hacía con el farmacéutico en las largas jornadas de caza.

La relación con el primo de su mujer no parecía haber cambiado últimamente, aunque tampoco habría sido fácil percibir algún cambio en el habitual laconismo de Roscio. Lo cierto es que se hablaban, y este hecho desmentía la sospecha de que Roscio estuviera tramando algo contra su pariente. Salvo que se le supusiera una oculta y sutil perfidia, a saber, la capacidad, no rara por esos pagos, de disimular la animadversión hacia una persona al mismo tiempo que se la ataca por los medios más viles. Pero en esta posibilidad Laurana no quería ni pensar.

Al punto al que había llegado, no cabía sino dejarlo, olvidar todo aquello. Había sido un pasatiempo de las vacaciones, y no poco insensato, por cierto. Ahora empezaban las clases, recomenzaba la incómoda vida del ir y venir entre el pueblo y la capital, porque su madre le había cogido cariño al pueblo y a la casa y rechazaba de plano trasladarse a la ciudad, y aunque él se tenía en parte por víctima de esta actitud, volver allí al acabar las clases, habitar la vieja casa en la que nació, era un placer al que no quería renunciar.

Lo que decididamente le venía mal era el horario del coche de línea: salir todas las mañanas a las siete, llegar a la capital media hora después, esperar a que empezaran las clases otra media hora larga, en la calle, en la sala de profesores o en un café; luego esperar otra vez a que fuera la una y media para volver, llegar a casa a las dos... Era una vida cada año más cargante, porque además ya iba sintiendo el peso de la edad.

El consejo que todos le daban (menos su madre), aprender a conducir y comprarse un coche, no le parecía que se compadeciese con su edad, sus nervios, su carácter distraído (aparte de los temores de su madre); pero ahora, que estaba más cansado y le daba más pereza la perspectiva de otro año de enseñanza, de autobús, decidió intentarlo. Si luego, en las primeras clases, el profesor lo juzgaba falto de reflejos o de atención, lo dejaría y retomaría resignado los viejos y cada vez más penosos hábitos.

Esta simple decisión había de revelarse fatal en su vida. Aún no había conseguido dejar de pensar en el problema de la muerte de Roscio (y del farmacéutico), pues tampoco era fácil olvidarlo de la noche a la mañana, cuando subiendo las escaleras del palacio de justicia, adonde había ido por un certificado de limpieza penal, indispensable para formar parte de la comunidad de automovilistas con carné, tuvo un encuentro que le mostró otro aspecto del problema. El azar otra vez: pero ahora cargado de mortal fatalidad.

Subía, pues, las escaleras del palacio de justicia, recreándose masoquistamente en los temores propios de todo italiano que se dispone a internarse en el laberinto de una oficina pública, de justicia para más inri, cuando se encontró con Rosello, que bajaba en compañía de dos personas, a una de las cuales reconoció enseguida: el diputado Abello, dechado de moralidad y de doctrina según sus correligionarios y devotos. De esa doctrina había dado más de una vez valiosa prueba demostrando cómo san Agustín, santo Tomás, san Ignacio y cuantos santos hubiesen echado mano de pluma o cuyo pensamiento hubiese recogido algún contemporáneo, habían superado triunfalmente el marxismo. Superar era su fuerte, en todos los terrenos.

Rosello pareció alegrarse mucho: de presentarle a Laurana, que roía cultura, a aquel pontífice de la cultura que era el diputado Abello. Eso hizo, en efecto, y el diputado tendió la mano a Laurana y lo saludó con un «Querido amigo» distraídamente; pero se mostró más atento cuando Rosello le dijo que Laurana, profesor de humanidades en el instituto, se dedicaba también a la crítica literaria.

–¿Crítica literaria? –dijo el diputado poniendo ceño de examinador–. ¿Y qué ha escrito de crítica literaria?

–Poca cosa: sobre Campana, Quasimodo...

–Uf, uf, Quasimodo –dijo el diputado como traspasado de decepción.

–¿No le gusta?

–Nada en absoluto. Sicilia, hoy, sólo tiene a un gran poeta: Luciano de Mattia... ¿Lo conoce?

–No.

–«Escucha, Federico, mi voz que a ti va con el viento de las gaviotas»... ¿Lo conoce? Es un poema de De Mattia, maravilloso, dedicado a Federico II: búsquelo, léalo.

En auxilio de Laurana, aplastado por la potente erudición del diputado, y con una sonrisa que decía cuán amistoso y caritativo era el auxilio, Rosello terció preguntando:

–¿Y qué te trae por aquí? ¿Buscabas algo?

Laurana explicó que iba a pedir un certificado de limpieza penal, y la razón por la que lo necesitaba; y miraba entretanto con vaga curiosidad al acompañante de Rosello y del diputado, que se mantenía aparte. Un agente electoral del diputado o un cliente de Rosello; un hombre del campo, a todas luces; pero lo que llamaba la atención en su aspecto era el contraste de las gafas de fina montura metálica, como las que llevan los americanos de cierta edad, Truman por ejemplo, con la cara ancha, dura, tostada por el sol. Y quizá por la turbación de sentirse observado, aunque fuera vaga y distraídamente, sacó un paquete de tabaco y del paquete un puro.

El diputado le tendía la mano con un «Querido amigo» ahora más desdeñoso que distraído, y mientras se la estrechaba se quedó Laurana con los colores amarillo y rojo del paquete que el hombre volvía a guardarse. Se despidió de Rosello y también, sin darse cuenta, con una seña, de aquel hombre.

Cuando, veinte minutos después, al salir corriendo del palacio de justicia porque aún tenía que dar una clase, pasó por delante de un estanco, le vinieron a la mente aquel paquete de tabaco, aquellos colores. Fue un impulso súbito: entró y pidió un paquete de Branca.

En los instantes en que la mano del estanquero recorría el estante y se detenía ante el compartimento del Branca, el corazón se le aceleró y una llamarada de emoción le subió a la cabeza: así sigue el jugador de ruleta la bolita en su último y lento rodar por la rueda. Y allí tenía ya sobre el mostrador un paquete de Branca: amarillo y rojo. Tan fuerte fue la impresión de haber probado suerte y haber ganado que pensó *«jaune et rouge»*, imitando, para sí o en voz alta, el tono monótono de un crupier; en voz alta seguramente, porque el estanquero se quedó parado un momento, mirándolo. Pagó, salió. Abrió el paquete con las manos temblando, y mientras sacaba un puro y lo encendía, aplazando inconscientemente el placer de meditar sobre el asombroso elemento que venía a sumarse a los ya conocidos, pensó que en el tapete de la ruleta no había nada amarillo, y se imaginó las salas de juego de Montecarlo que una vez viera con los ojos desorbitados de Ivan Mosjoukine... Matías Pascal.

Cuando llegó al instituto encontró al director en el pasillo, vigilando el aula en la que los críos habían empezado a armar jaleo.

–Profesor, profesor... –lo reconvino blandamente.

–Lo siento –dijo Laurana entrando en el aula con el puro encendido.

Estaba satisfecho, confuso, asustado. Los alumnos saludaron con gran alboroto la novedad del puro.

XII

Por lo que sabía, el hombre que fumaba puros Branca tanto podía ser un sicario como un profesor universitario de Dallas que hubiera venido a mamar del pecho, pletórico de doctrina, de su señoría Abello. Tan sólo el instinto, agudizado en él como en todo siciliano por una larga serie de experiencias, de miedos, lo avisaba del peligro; así percibe el perro en el rastro del erizo el lancinar de las púas y gime lastimeramente.

Esa misma tarde tuvo un encuentro con Rosello que trocó su presentimiento en certidumbre.

Ya antes de saludarlo le preguntó Rosello:

–¿Qué te ha parecido el diputado? –Y sonreía con complacencia, con orgullo.

Laurana meditó una respuesta ambigua:

–Digno de la admiración de que goza.

–Me alegro de que lo pienses, me alegro mucho. Es un hombre brillante, de mucho entendimiento... Verás como acaban haciéndolo ministro.

–Del Interior –dijo Laurana, trasluciendo ironía sin querer.

–Del Interior, ¿por qué? –preguntó Rosello con recelo.

–¿Dónde mejor, a un hombre así? ¿En Turismo?

–Sí, es verdad; esperemos que en Roma se den cuenta y le den un ministerio importante, clave.

–Se darán cuenta –afirmó Laurana.

–Ojalá... Porque sería una verdadera lástima que, en un momento tan delicado de nuestra vida política, de nuestra historia, no se lo aproveche en lo que vale.

–Pero, si no me equivoco, es más bien de derechas. Y ahora que se va a la izquierda...

–La derecha de su señoría está más a la izquierda que los chinos, para que lo sepa... ¿Derecha, izquierda? Para él son distinciones sin sentido.

–Lo celebro –dijo Laurana, y como de pasada–: ¿Y aquel señor que iba con él?

–Es de Montalmo, un buen hombre. –Pero al punto se puso tenso, su mirada se volvió fija y fría–. ¿Por qué lo preguntas?

–Por nada, por curiosidad... Me pareció un tipo interesante.

–Sí, interesante de verdad –con un eco de burla y amenaza.

Laurana sintió un escalofrío de espanto. Quiso cambiar de tema y volvió al diputado:

–¿Y su señoría Abello apoya sin reservas la línea que ahora sigue vuestro partido?

–¿Y por qué no? Llevamos veinte años coqueteando con la derecha, ya es hora de hacerlo con la izquierda. Total, lo mismo da.

–¿Y lo de los chinos?

–¿Los chinos?

–Quiero decir, como el diputado está más a la izquierda que los chinos...

–¿Ves? Así sois los comunistas: con una frase hacéis una soga y ahorcáis a un hombre... Lo de la izquierda de los chinos lo digo por decir... Si quieres también te digo que está a la derecha de Franco... Es un hombre extraordinario, con unas ideas tan grandes que esto de derecha e izquierda son para él miserias sin sentido, como te digo... Pero perdona, hablamos otro día, que ahora tengo cosas que hacer, he de volver a casa. –Y se fue, ofuscado, sin despedirse.

Volvió media hora después, completamente cambiado: alegre, expansivo, con ganas de bromear. Pero Laurana notó la tensión, la inquietud, quizás el miedo que lo llevaban a dar vueltas, «como una mariposa», pensó, «como una esfinge de la muerte en torno a la luz», y la imagen, que alzó el vuelo de una página de *Crimen y castigo*, acabó, por deformación profesional, aplastada en nota a Gozzano, en nota a Montale.

Sacó a colación Rosello a aquel buen hombre de Montalmo por el que Laurana le había preguntado: que quizá de Montalmo no era, que ahora que lo pensaba le parecía que vivía en la capital, que dijo que era de Montalmo porque una vez, una de las dos veces que lo vio, se lo encontró en Montalmo; y que lo de buen hombre era porque el diputado siempre decía que lo era, fiel, leal... Y así acabó Rosello por quemarse las alas en la llama de la sospecha de Laurana. Y casi daba lástima.

Al día siguiente, después de comer, tomó Laurana el autobús para Montalmo. Vivía en este pueblo un compañero de universidad que varias veces lo había invitado a ir para ver ciertas excavaciones en las que acababan de sacar a la luz restos interesantísimos de la Sicilia antigua.

Era un bonito pueblo, amplio, armonioso, de calles rectas que desembocaban en una plaza íntegramente barroca. Y en un edificio de la plaza vivía su amigo, un edificio grande y tan oscuro por dentro como luminoso por fuera, debido a la compacta piedra arenisca cuajada de luz de sol.

Pero su amigo no estaba: había ido precisamente al lugar de las excavaciones, de las que era inspector honorario; la vieja criada se lo dijo por la puerta apenas abierta, con claras prisas de cerrársela en las narices. Pero del interior de la casa, como a través de una profunda perspectiva de puertas abiertas, llegó una voz preguntando imperiosamente:

–¿Quién es?

Siempre con la puerta semiabierta, la criada gritó hacia dentro:

–Nada, uno que busca al profesor.

–Que entre –ordenó la voz.

–Pero busca al profesor y el profesor no está –replicó la vieja criada.

–Que entre te digo.

–¡Jesús! –gimió la criada, como si aquello fuera

un desastre. Y abrió la puerta para dejar entrar a Laurana.

Desde una perspectiva de puertas abiertas, en efecto, avanzaba un anciano encorvado, con una manta de vivos colores sobre los hombros.

–¿Busca usted a mi hermano?

–Sí... Soy un viejo amigo, un compañero de universidad... Me ha invitado varias veces a ver las excavaciones, el nuevo museo... Y hoy...

–Pase, pase; no tardará. –Y echó a caminar delante; en cuanto les dio la espalda, la criada hizo a Laurana un gesto de advertencia: movió el dedo a la altura de la frente, como enroscándolo. El inequívoco significado del gesto detuvo a Laurana. Pero el anciano, sin haberse vuelto, y sin volverse, dijo–: Concetta lo avisa de que estoy loco.

Sorprendido, pero también más confiado, Laurana lo siguió.

Al fondo de la perspectiva, en un despacho lleno de libros, de estatuas, de ánforas, el hombre se sentó a un escritorio, lo invitó a hacer lo propio frente a él, del otro lado, apartó una pila de libros, dijo:

–Concetta me cree loco, y no sólo ella, la verdad.

Laurana hizo un vago gesto de incredulidad, de protesta.

–Lo malo es que en algunas cosas lo estoy de verdad... No sé si mi hermano le habrá hablado de mí alguna vez, quizá para contarle que cuando iba a la universidad, yo, según él, le racaneaba el dinero... Me llamo Benito, soy el hermano mayor... El nombre, claro está, no me viene del que usted imagina: éramos casi de la misma edad... Después de la unificación de Italia hubo en mi familia un brote de sentimientos republicanos, revolucionarios: me llamo Benito porque un tío mío, muerto el año en que nací, nació a su vez el año en que Benito Juárez fusiló a Maximiliano; al parecer un rey ajusticiado era para él motivo de gran regocijo. Claro que esto no le impedía seguir fiel a la tradición bonapartista que había en mi familia con los nombres: desde la revolución de 1820 nadie se ha librado de llevar por segundo o tercer nombre Napoleón, si era varón, y Letizia, si era hembra. Así, mi hermano se llama Girolamo Napoleone, mi hermana Letizia y yo, después de Benito Juárez, escondo un Giuseppe Napoleone. Aunque en este caso es posible que el Giuseppe valga a la vez por Bonaparte y por Mazzini... Cuando se puede, mejor matar dos pájaros de un tiro... Durante el fascismo mi nombre causaba cierta impresión: me llamaba Benito y tenía la misma edad del que, como se decía, guiaba los altos destinos de la patria... La gente estaba tan acostumbrada al mito que debían de pensar que habíamos comenzado a marchar juntos sobre Roma desde que echamos el primer diente... ¿Es usted fascista?

–No, al contrario.

–No se ofenda, todos lo somos un poco.

–¿De veras? –dijo Laurana, con buen humor pero irritado.

–Pues claro... Y le pondré ahora mismo un ejemplo, que es también ejemplo de una de mis más recientes y amargas decepciones... Peppino Testaquadra, viejo amigo mío: del año 27 al 40 pasó entre cárceles y destierros los mejores años de su vida, y te desuella vivo o se te ríe en la cara si te oye llamarlo fascista... Pues lo es.

–¿Fascista dice? ¿Testaquadra fascista?

–¿Lo conoce?

–Le he oído algún discurso, leo sus artículos.

–Y claro, conociendo su pasado y lo que dice y escribe, pensará usted que para considerarlo fascista se necesita una buena dosis de locura o mala fe... Pues bueno, de locura quizá sí, si consideramos la locura una especie de puerto franco de la verdad; pero de mala fe no, eso sí que no... Es amigo mío, como le digo, un viejo amigo mío. Pero eso no quita para que sea un fascista. De esos que en cuanto consiguen hacerse un huequecito en el poder, quizá ni cómodo, ya empiezan a distinguir entre el interés del Estado y el de los ciudadanos, entre los derechos de sus electores y los de sus adversarios, entre la conveniencia y la justicia... ¿Y no cree que podríamos preguntarle quién lo metió a él en la cárcel y lo mandó al destierro? ¿Y no cree que, con mala intención, podemos también pensar que empezó con mal pie o que si Mussolini lo hubiera llamado...?

–Con mala intención –subrayó Laurana.

–Mi mala intención le da idea del desengaño y la pena que me ha causado Peppino: como persona que lo vota y como amigo.

–¿Vota usted al partido de Testaquadra?

–No al partido... O sea, sí al partido, claro, pero

en segundo lugar... Como todos aquí... Hay quienes son partidarios de un político por una subvención, un plato de espaguetis, una licencia de armas o un pasaporte, y otros, como yo, por estima, respeto, amistad... Y piense el sacrificio que es para mí salir de casa para votarlo.

–¿No sale de casa?

–Nunca, ya hace años... En cierto momento de mi vida hice cálculos: si salgo de casa con idea de conocer a una persona inteligente, a una persona honrada, corro el riesgo de encontrarme con, de media, doce ladrones y siete imbéciles que están deseando comunicarle a alguien lo que opinan de la humanidad, del gobierno, de la administración municipal, de Moravia... ¿Cree que merece la pena?

–No, desde luego que no.

–Además, yo en mi casa estoy en la gloria, sobre todo aquí. –Y levantó las manos para señalar y abarcar los libros del despacho.

–Buena biblioteca –dijo Laurana.

–No es que aquí deje de encontrar ladrones e imbéciles... Escritores, me refiero, no personajes... Pero me deshago de ellos fácilmente: devuelvo los libros a la estantería o los regalo al primer necio que viene a visitarme.

–Luego tampoco en casa se libra de los necios.

–Tampoco... Pero aquí dentro es distinto: me siento más seguro, más a distancia... Como en el teatro, y hasta lo encuentro divertido... Le diré más: desde aquí, me parece teatro todo lo que pasa en el pueblo, bodas, entierros, peleas, gente que se va, gente que viene... Porque me entero de todo, lo oigo todo, y hasta me llega como multiplicado, como lleno de ecos...

–El otro día conocí a uno de Montalmo... –interrumpió Laurana–. No recuerdo cómo se llamaba; alto, de cara ancha, morena, con gafas tipo americano, una especie de agente electoral del diputado Abello...

–¿Es usted profesor?

–Profesor, sí –contestó Laurana, sonrojándose ante la repentina, fría desconfianza de su interlocutor, que lo miraba como si ocultara su verdadera identidad.

–¿Y dónde conoció a ese de Montalmo del que no recuerda el nombre?

–En las escaleras del palacio de justicia.

–¿Iba con dos carabineros?

–No, no; con el diputado Abello y un conocido mío, abogado.

–¿Y quiere que yo le diga cómo se llama?

–Tampoco es que me muera por saberlo...

–Pero ¿quiere o no quiere saberlo?

–Sí.

–¿Por qué?

–Por nada, por curiosidad... En fin, porque me causó cierta impresión.

–No me extraña –dijo don Benito echándose a reír.

Y rió hasta la convulsión, hasta las lágrimas. Luego se calmó, se enjugó los ojos con un gran pañuelo rojo. «Está loco», pensaba Laurana, «loco de remate.»

–¿Sabe de qué me río? De mí me río, de mi miedo... He tenido miedo, lo confieso. Yo, que me considero un hombre libre en un país que no lo es, por un momento he sentido el antiguo miedo de encontrarme entre el criminal y el policía... Pero aunque de verdad fuera usted policía...

–No lo soy... Se lo he dicho: soy profesor, camarada de su hermano...

–¿Y entonces por qué busca a Raganà? –Rompió de nuevo a reír, explicó–: Pregunta dictada por la prudencia, no por el miedo... Sea como sea, ahí tiene la respuesta.

–Se llama Raganà y es un criminal.

–Exacto: uno de esos criminales limpios, respetados, intocables.

–¿Cree que ahora sigue siendo intocable?

–No lo sé, seguramente también a él lograrán tocarlo... Pero lo cierto, mi querido amigo, es que Italia es un país tan curioso que cuando se empieza a luchar contra las mafias regionales, es porque se ha instalado una nacional... Pasó algo parecido hace cuarenta años, y si bien es verdad que un hecho trágico toma visos de farsa cuando se repite, así en la gran historia como en la pequeña, a mí la cosa me preocupa igual.

–¿Y eso? –replicó Laurana–. Hace cuarenta años, lo reconozco, una mafia grande intentó aplastar a otra más pequeña... Pero hoy..., vamos, ¿le parece que es lo mismo?

–No lo mismo... Pero mire, voy a contarle a modo de parábola un hecho que seguro conoce... Una gran empresa decide construir una presa río arriba de una población. Unos cuantos diputados, valiéndose del parecer de los técnicos, exigen que la presa no se construya por la amenaza que supone para la población. El gobierno da el permiso y la presa se construye. Cuando ya está en funcionamiento, ocurren algunas cosas que anuncian el peligro. Nada. Hasta que un día sobreviene la desgracia que algunos habían previsto. Resultado: dos mil víctimas mortales... Dos mil: los mismos que los Raganà que por aquí prosperan liquidan en diez años... Y podría contarle muchas más historias, que usted conoce bien, por otra parte.

–No veo la relación... Además, francamente, me parece que sus parábolas rayan en la apología... No tiene en cuenta el miedo, el terror...

–¿Cree que los habitantes de Longarone no lo tenían al ver la presa?

–No es lo mismo. De acuerdo, claro, en que fue un hecho gravísimo...

–Que quedará impune, como quedan impunes los mejores crímenes de nuestra tierra, los más típicos.

–Pero a ver: si se lograra tocar a este Raganà, y a cuantos Raganà conocemos y no conocemos, pese a la protección de que gozan, creo que sería dar un buen paso, un paso importante...

–¿De veras lo cree? ¿En la presente situación?

–¿Qué situación?

–Medio millón de emigrantes, es decir, casi toda la población válida; la agricultura abandonada, las azufreras cerradas y las salinas a punto de cerrar; lo del petróleo que da risa, las instituciones regionales que son un cachondeo, el gobierno que con nuestro pan nos lo comamos... Nos hundimos, amigo mío, nos hundimos... Esta especie de barco pirata que ha sido Sicilia, con su hermoso gatopardo rampante en la proa, los colores de Guttuso en su gran empavesado, sus más decorativos *pezzi da novanta** en quienes los políticos han delegado el honor del sacrificio, sus escritores comprometidos, sus Malavoglia, sus Percolla, sus estudiosos de lógica cornudos, sus locos, sus demonios meridianos y nocturnos, sus naranjas, su azufre y sus cadáveres en la bodega: se hunde, amigo mío, se hunde... Y aquí estamos usted y yo; yo, loco, usted, quizá comprometido, con el agua que nos llega a las rodillas, hablando de Raganà, que si ha saltado detrás de su diputado o se ha quedado a bordo con los que van a morir.

–No estoy de acuerdo –dijo Laurana.

–A fin de cuentas, tampoco yo –dijo don Benito.

* *Pezzi da novanta,* «cañones» de ese calibre y también, sobre todo en este contexto, «capos mafiosos». *(N. del T.)*

XIII

–¿Qué animal tiene el pico bajo tierra? –preguntó Arturo Pecorilla desde el umbral.

Casi todas las tardes hacía el joven Pecorilla su entrada en el casino en medio de un despliegue de chistes, juegos de palabras y ocurrencias de que hacía diligente acopio en almanaques y periódicos y en los espectáculos de variedades a los que asistía en la capital. Cuando estaba su padre, en cambio, su entrada tenía algo triste, doloroso: pues si bien el notario admitía que una persona con agotamiento nervioso, lo que declaraba ser el joven para justificar su faltas de asistencia a la universidad, necesitara estar con gente divertida, no así que se convirtiera en la diversión de la gente. Opinión esta no compartida por los médicos, pero firmemente mantenida por el notario y, por necesidad de vida, respetada por el hijo.

Aquella tarde no estaba el notario y por eso lanzó el joven desde la puerta la chistosa adivinanza del animal que tiene el pico bajo tierra.

Los que más familiarizados estaban con el mundo animal, los cazadores, dijeron la perdiz, el oso hormiguero; los más desavisados dieron en lo exótico contestando grulla, cigüeña, avestruz y cóndor.

El joven Pecorilla dejó que se calentaran los cascos un rato y al fin anunció triunfalmente:

–La viuda.*

A las risitas de rigor sucedieron, en este orden, tres reacciones. El coronel Salvaggio saltó de su butaca y con una voz que prometía un inmediato estallido de cólera preguntó:

–¿No lo dirá también por las viudas de guerra?

–Me guardaré mucho de eso –contestó el joven. Y el coronel volvió a sentarse en la butaca.

–Su pregunta contenía una deslealtad lingüística –observó Piranio, contable–. Ha usado el verbo «tener», que en este contexto, en nuestro idioma, es un españolismo, un napolitanismo.

–Lo reconozco –dijo Arturo Pecorilla, que no quería entrar en polémicas por la prisa que tenía de contar otro chiste.

En cambio, la reacción de don Luigi Corvaia fue completamente ajena a la cuestión, quizá distraída, incauta desde luego.

–A saber –dijo como ensimismado– si la viuda del doctor Roscio volverá a casarse.

–¿Porque también tiene el pico bajo tierra? –dijo el joven Pecorilla, con la falta de tacto que lo caracterizaba.

* «Pico» en italiano es *becco,* que también significa «cornudo», «hombre cuya mujer le es infiel». *(N. del T.)*

–¡Tú siempre tan chistoso! –exclamó don Luigi, sonrojado. Saber que se había equivocado aumentaba su rabia. Y aquel inútil de Pecorilla no hacía sino subrayar crudamente el desacierto, ponerlo de manifiesto ante todos. Cosas delicadas, cosas peligrosas: y se las tomaba a risa.

–Lo he dicho –explicó procurando no perder la calma– sin pensarlo: he oído la palabra viuda y se me ha ocurrido eso... Pero tú, que no respetas ni a vivos ni a muertos...

–Era una broma –repuso el joven–. ¿Es que no han entendido todos que era una broma? No me permitiría...

–Con ciertas cosas no se bromea... Si yo aquí, entre amigos, me pregunto qué hará la viuda de nuestro pobre amigo Roscio, puedes estar seguro de que lo hago con todo el respeto del mundo... Además, todos conocemos las virtudes de la señora... –Se elevó un coro de «Ya lo creo», «Para qué hablar»..., y prosiguió don Luigi–: Pero la señora es tan joven y, digámoslo también, tan hermosa, que, oye, siente uno cierta pena al pensar que tendrá que quedarse sola con su dolor, con su luto, para siempre...

–Ay, sí –suspiró el coronel Salvaggio–, es una real moza.

–Hombre, a usted ya... –dijo Arturo Pecorilla que, arrepentido de haber cedido en lo de las viudas de guerra, estaba decidido a hacer rabiar al coronel en lo de la potencia viril.

–Yo ya ¿qué...? –dijo el coronel, encogiéndose en la butaca cual pantera pronta a saltar.

–Ya... –repitió el joven, en tono y actitud de lamentarlo mucho.

El coronel se puso en pie de un brinco.

–Yo, para su información, a mi edad, a mis setenta y dos años, si al menos una vez al día...

–Pero, coronel, ¡no lo reconozco a usted! –intervino, severo, Piranio, el contable–. ¡Su prestigio, su grado!

Piranio estaba firmemente convencido de que a un coronel cumplía mostrar gran dignidad, solemne continente, y por eso sus amonestaciones surtían un efecto profundo e instantáneo.

–Tiene razón –dijo el coronel–, tiene razón... Pero es que cuando me provocan de manera tan poco noble...

–No haga caso –lo atajó Piranio. Era una escena que se repetía todos los días, y quien quisiera disfrutar plenamente de las cóleras del coronel debía aprovechar la ausencia de Piranio.

Cuando el coronel se hubo sentado, el mismo Piranio prosiguió la conversación sobre la viuda de Roscio.

–Joven, hermosa, de acuerdo... Pero no olvidemos que tiene una hija, y quizá quiera dedicarse por entero a ella.

–¿Dedicarse por entero a ella? –terció el jefe de Correos–. Cuando hay dinero, queridísimo amigo, eso no es problema. La hija está ya apañada con lo que le ha dejado el padre; métala usted en un buen internado y ya tiene usted resuelto el problema de dedicarse a ella.

–Exacto –aprobó don Luigi.

–Pero –dijo Piranio– tengamos en cuenta el otro lado de la cuestión: por desahogada que esté, uno se lo piensa dos veces antes de casarse con una viuda con hija.

–¿De veras? Aparte de usted, ¿alguno de los aquí presentes se lo pensaría dos veces?... ¿Una mujer como ésa? ¿Quién no se casaría de cabeza, sin pensárselo ni media vez? –dijo el señor Zerillo.

–¡Atiza! –bramó el coronel.

A partir de ese momento el respeto por la señora cayó en picado. Por su cuerpo, entiéndase, no por sus virtudes; las cuales eran por principio cosa rara e intocable. Su cuerpo desnudo, en cambio, y ciertas partes de él, desfilaban y se dilataban en perspectivas como las que sabe plasmar obsesivamente el fotógrafo Brandt. La falta de respeto llegó al extremo de que el coronel se agarró cual niño de teta al seno de la señora y fue precisa toda la autoridad de Piranio, así como apelaciones a hechos históricos gloriosos, para que lo soltara.

Laurana no decía nada. Seguía casi siempre de buen humor todo aquel platicar sobre mujeres tan habitual en el casino. Una velada en el casino era para él como leer un libro de Pirandello o de Brancati, según el tema y el tono de la conversación; más a menudo de Brancati, a decir verdad. Por eso era un asiduo del casino, constituía incluso su rato de asueto diario.

La conversación sobre la señora Roscio, sin embargo, le provocaba malestar, turbación, impulsos encontrados. Lo indignaba y a la vez lo fascinaba. Varias veces estuvo a punto de marcharse o de manifestar su indignación, pero la indecencia y la malignidad, así como un dolor sordo, semejante a los celos, lo atraían y lo retenían.

Concluido el intermedio erótico, volviose al tema que el señor Zerillo denominó de los «papables», esto es, los solteros de entre treinta y cuarenta años con carrera, hermosa planta y buen carácter que con probabilidades de éxito podían aspirar al lecho y los bienes de la viuda. Y uno hubo que, quizá por cumplido más que por convicción, mencionó a Laurana, y Laurana, ruborizándose, como de un cumplido protestó.

Resolvió la cuestión don Luigi Corvaia.

–¿Para qué buscar? Cuando la señora decida casarse, en la familia tiene ya al marido.

–¿Quién? –preguntó el coronel, en un tono tan amenazador que parecía tener ya empuñado el rayo con el que fulminaría al elegido.

–Pues ¿quién va a ser? Su primo, nuestro amigo Rosello. –Porque don Luigi nunca olvidaba, cuando más malévolo era, tratar de amigos a sus víctimas.

–¿Ese ratón de sacristía? –dijo el coronel, y con su tino habitual lanzó todo su desprecio contra la escupidera de esmalte blanco, distante tres metros.

–El mismo –contestó sonriendo don Luigi, complacido de su propia perspicacia–, el mismo...

Era una idea que llevaba varios días preocupando a Laurana; a él se le había ocurrido porque era el único móvil posible del crimen; a don Luigi Corvaia se le ocurría ahora por puro cotilleo, por maledicencia. Sólo que en el cuadro no encajaba (o encajaba en tanto dato indescifrable, oscuro, contradictorio) el hecho de que Roscio, en secreto y por medio del diputado comunista, hubiera querido atacar a Rosello. Porque una de dos: o Roscio sorprendió a su mujer y al primo en flagrante delito de adulterio, como suele decirse en los informes policiales, o, aunque fundadas, solamente tenía sospechas del enredo. En el primer caso había que suponerle un comportamiento de lo más extraño: lo ve, declara fríamente al amante de la mujer su intención de buscarle la ruina, da media vuelta y se va, y luego, mientras prepara su venganza, sigue relacionándose con él en los mismos términos de siempre. En el segundo caso, había que explicar cómo se enteró Rosello de lo que Roscio tramaba contra él. Y había también una tercera posibilidad, a saber, que el primo hubiera pretendido, asediado a la señora; y ésta, inocente, hubiera advertido al marido o el marido se hubiese dado cuenta. Sólo que en tal caso, seguro de la fidelidad de su mujer, Roscio tendría que haberse limitado a cambiar o romper sus relaciones con el otro. Su comprensión y tolerancia hacia las pasiones humanas no podían, ante una ofensa o, mejor dicho, un conato de ofensa no irreparable, invertirse al punto de buscar venganza irreparable.

Ahora bien, había que considerar que al diputado sólo lo tanteó para ver si se prestaría a la denuncia: aún no había decidido vengarse; es más, le dijo que aún debía decidir si decirle todo o nada, dependiendo...

¿de qué? ¿De si Rosello, bajo la amenaza, cambiaba de actitud? ¿Y lo amenazó abiertamente poniéndole una condición? Entonces había que volver a la primera hipótesis: la de una manera bien extraña de comportarse, propia del gran mundo continental, del cine, la del marido engañado pero amante de su mujer, firmemente resuelto a conservarla. Y aunque Laurana era severo juez de un modo de vida gobernado por las pasiones, las del amor propio y del honor particularmente, no dejaba de ver que su hipótesis entrañaba una falta de respeto a la memoria de Roscio; y por eso se empeñaba en negarla, en demolerla. Pero comoquiera que se lo mirase, el caso tenía algo de equívoco, de ambiguo, aunque todavía no aparecieran con total claridad las relaciones de causa y efecto, de los protagonistas entre sí, de los elementos que conocía en el mecanismo del crimen. Y en el equívoco, en la ambigüedad, se sentía moral y sensualmente implicado.

XIV

Un proceso que, basado en tres indicios hasta cierto punto válidos y en un móvil atisbado apenas entre los bastidores de la maledicencia, concluyese en condena, no haría sino dar motivos a Laurana para avivar ese sentimiento y esa filosofía de repulsa y de polémica que instintivamente oponía a la administración de justicia y al principio mismo en el que la administración de justicia se fundaba. Pero los tres indicios que en su interior sopesaba y confrontaba, y aquel vago móvil, le parecían ya suficientes para no albergar duda alguna acerca de la culpabilidad de Rosello.

Como decía el párroco de Santa Ana, Rosello era efectivamente un necio no carente de astucia. Y con atroz astucia, conforme a un esquema no enteramente nuevo en la historia del crimen, prepara el crimen. Pero no hace caso del periódico del que recorta las palabras del mensaje de muerte, ya que *L'Osservatore Romano* es para él un periódico como cualquier otro, por estar habituado a verlo en casa y en los ambientes que frecuenta; es el primer error. Segundo error: deja pasar tiempo, lo que permite a Roscio moverse, hablar con gente; aunque éste era quizá un error inevitable: no se puede concebir y planear un crimen de la noche a la mañana. Y tercer error: cuando aún el puro Branca marcha como un dirigible en la investigación y en la prensa, aparece en público acompañado del sicario.

Se comprende que una cosa es tener la secreta certeza de que un hombre es culpable y otra muy distinta traducir abiertamente esa certeza en denuncia o en sentencia. Aunque, pensaba Laurana, quizás el policía o el juez justifican su convicción, su juicio, en la presencia física del sospechoso o el acusado: en su actitud, miradas, titubeos, sobresaltos, palabras, cosas todas que difícilmente se aprecian en las crónicas periodísticas. Esto era, en definitiva, lo que lo cercioraba de la culpabilidad de Rosello. Ciertamente hay casos, como es sabido, en que los inocentes se comportan como culpables, y así se pierden; es más, se comportan casi siempre como culpables los italianos que se ven ante un guardia municipal, un agente de aduanas, un carabinero, un juez. Pero él, Laurana, estaba lejos de la ley y de quienes ostentaban la autoridad de la ley, más lejos que Marte de la Tierra, y por cierto que así veía a policías y jueces, como en una fantástica lejanía, como marcianos que de vez en cuando se materializaban en el humano dolor, en la locura.

Desde el día en que Laurana se lo encontró en las escaleras del palacio de justicia y le preguntó por la persona que lo acompañaba, Rosello estaba cambiado: tan pronto lo evitaba o lo saludaba con una vaga seña cuando no había podido esquivarlo o fingir no verlo, como se le acercaba, le demostraba afecto, le ofrecía su ayuda, su influencia sobre inspectores, subsecretarios y ministros. Y cuando él, tenso y violento ante tales muestras de afecto, contestaba que no necesitaba recomendaciones para los poderosos de la burocracia académica, Rosello reaccionaba con recelo y ofuscación. Creía quizá que Laurana rechazaba sus demostraciones de amistad y los servicios que le ofrecía por ese desprecio, hoy raro, que siente el hombre honrado por el delincuente, o incluso porque pensaba comunicar sus sospechas al sargento, al comisario, hacerlas llegar, en fin, directamente o no, a conocimiento de alguno de los investigadores. Intención que Laurana no tenía, y su inquietud, su preocupación, era precisamente que Rosello se la atribuyera. Más que el miedo, que se insinuaba en su ánimo al recordar cómo habían acabado Roscio y el farmacéutico y le hacía adoptar casi automáticamente precauciones para evitar el mismo fin, era una especie de oscuro amor propio lo que lo llevaba a rechazar la idea de que por él los culpables recibieran justo castigo. Su curiosidad era puramente humana, intelectual, que no podía ni debía confundirse con la de quienes, a sueldo de la sociedad, del Estado, capturan y entregan a la venganza de la ley a aquellos que la transgreden o violan. Y entraban en este oscuro amor propio los siglos de infamia que un pueblo oprimido, un pueblo vencido siempre, hacía pesar sobre la ley y sobre quienes eran instrumento de ella; entraba la idea aún vigente de que el mejor derecho y la justicia más justa, de quererlos de verdad, de no dejarlos en manos del destino o de Dios, solamente pueden salir del cañón de una escopeta.

Pero al mismo tiempo sentía una especie de complicidad, de solidaridad con Rosello y su matón, que, aunque vaga e involuntaria, no lo desasosegaba menos; un sentimiento que, más allá de la indignación moral, de la repugnancia, tendía a concederles impunidad y aun a devolverles aquella seguridad que, por su curiosidad, últimamente habían sin duda perdido. Aunque, por otra parte, ¿podía concederse a Rosello tanta impunidad que le permitiese ocupar el puesto de su víctima al lado de aquella mujer que obscenamente resplandecía en la mente de Laurana como en el centro de un laberinto de pasión y de muerte? Y entonces también la sensualidad, el deseo se volvían ambiguos, y sentía, por una parte, celos, inmotivados, gratuitos, cargados de todas las insatisfacciones, timideces y represiones de su vida, y, por otra, un placer acre, la satisfacción del deseo casi, en una especie de proxenetismo visual. Y todo ello confusamente, como en medio de espejismos alucinados, febriles.

Así transcurrió todo el mes de octubre.

A principios de noviembre, durante los cuatro días de vacaciones que tuvo entre el de Difuntos y el de la Victoria, descubrió Laurana no sólo que todos los problemas le vienen al ser humano por no saber quedarse en casa, sino que quedarse en casa brindaba deliciosas perspectivas de trabajo y relectura. La mañana del 2 de noviembre salió para acompañar a su madre al cementerio; cuando hubieron comprobado que en las tumbas de sus muertos no faltaban flores ni velas, tal como habían encargado y pagado, quiso su madre, como todos los años, dar una vuelta y rezar un responso antes las tumbas de parientes y amigos. Llegaron así al panteón de la familia Rosello, donde encontraron a la señora Luisa Roscio que, vestida de elegante luto y arrodillada sobre un cojín de terciopelo, rezaba ante la lápida de mármol que llevaba el nombre de su marido, «trágicamente arrebatado al amor de los suyos», y en cuyo centro se veía un retrato esmaltado de un Roscio con veinte años menos y un aire entre sufrido y extraviado. La señora se levantó e hizo los honores; explicó que había elegido aquel retrato juvenil del marido por ser el más próximo a la época en que se conocieron, expuso la genealogía y el grado de consanguinidad y parentesco que todos aquellos difuntos enterrados en la capilla tenían con ella, que estaba –añadió– desgraciadamente viva. Suspiró, se enjugó lágrimas invisibles. La anciana señora Laurana recitó su responso. En la despedida tuvo Laurana la impresión de que la señora Luisa Roscio, al estrecharle la mano, se la retenía un momento, al tiempo que lo miraba con expresión de suplicante inteligencia. Supuso que el primo, el amante, se lo había contado todo y que ella, por tanto, le rogaba que guardara silencio. Esto lo turbó, porque confirmaba la directa complicidad de ella.

Pero no hacía falta rogarle que guardara silencio. De hecho, su decisión de quedarse en casa todas las tardes se debía a la voluntad de olvidar y de que lo olvidaran, de devolverle a Rosello aquella seguridad y libertad que de un tiempo a aquella parte le faltaban. Y también a ella, a la señora Luisa Roscio, que debía de tener tanto miedo que se imponía aquel fúnebre celo pasándose horas arrodillada ante la tumba de su marido a la espera de alguna visita que le ofreciera ocasión de levantarse. Acto que, como pudo observar Laurana, esperaron y espiaron atentamente unos cuantos jovenzuelos, pues el ceñido vestido negro, que ya en la inmovilidad que simulaba recogimiento y oración dejaba entrever abundante y lánguida desnudez, como de odalisca de Delacroix, al levantarse ella debía por fuerza dejar al descubierto parte del blanco muslo por encima de la muy tirante media. «Qué gente», pensó con un desprecio mezclado de celos; y pensó también que allí donde una falda subiera unos centímetros por encima de la rodilla, habría de fijo, en un radio de treinta metros, en cualquier parte del mundo, un siciliano, al menos uno, espiando el fenómeno. Y no tenía en cuenta que también él había captado ávidamente el blanco fulgor de la carne entre el negro de la ropa, y que había reparado en aquellos jovenzuelos simplemente porque él era como ellos.

Caminando apoyada en su brazo le susurró su madre la predicción de que la viuda Roscio no tardaría en casarse.

—¿Por qué lo dices?

–Porque así es la vida. Y con lo joven y lo guapa que es...

–¿Es que volviste a casarte tú?

–Yo ya no era tan joven, y guapa no lo fui nunca –dijo la anciana con un suspiro.

Esto causó a Laurana una sensación desagradable, casi de asco. «Es curioso», pensó, «lo brutalmente vivo que se siente uno paseando por un cementerio; será por el día que hace»; día particularmente bueno, cálido, con un grato olor a tierra húmeda, a raíces, mezclado allí, en el cementerio, con la fragancia de los setos de mastranto, de romero, de claveles, de rosas también, cerca de las tumbas más lujosas.

–¿Y con quién se casará, según tú? –preguntó con cierta irritación.

–Pues con su primo Rosello, el abogado –contestó la anciana, y se detuvo y se quedó mirándolo.

–¿Y por qué él?

–Pues porque se criaron juntos, en la misma casa, y se conocen bien, y de casarse reunirían la propiedad.

–¿Y te parecen buenas razones? A mí me resulta casi obsceno, por eso precisamente, por haberse criado juntos.

–Ya sabes lo que se dice: cuanto más primo, más me arrimo. Los peligros son tres: primos, cuñados y padrinos. Los enredos más graves se dan casi siempre entre parientes y padrinos.

–Pero ¿es que estaban liados?

–¡Cualquiera sabe! Antes, de mozos, cuando vivían juntos, se decía que se habían enamorado... Cosas de críos... Pero al parecer al arcipreste no le gustó y puso remedio... Sí, no me acuerdo bien, pero algo así se comentó.

—¿Y por qué puso remedio? Si se querían, podía haber dejado que se casaran.

—Acabas de decir que te parece obsceno; lo mismo le parecía al arcipreste.

—He dicho obsceno porque no me has hablado de amor, has dado como razón de un posible casamiento el hecho de que se criaron juntos, y claro... Pero queriéndose es otra cosa.

—Para que los primos se casen se necesita la dispensa de la Iglesia, luego un poco de pecado sí hay... ¿Crees que el arcipreste podía admitir que un amor no del todo puro naciera en su casa? Sería una vergüenza, el arcipreste es un hombre de lo más escrupuloso.

—¿Y ahora?

—Ahora ¿qué?

—Si se casan ahora, digo, ¿no es lo mismo? Mucha gente pensará lo que tú: que se querían ya de antes, desde que vivían en casa del arcipreste.

—No es lo mismo: ahora es casi una obra de caridad... Casarse con una viuda con hija, juntar la hacienda...

—¿Una obra de caridad juntar la hacienda?

—¡Pues claro! También la hacienda requiere caridad.

«¡Dios, qué religión!», pensó Laurana. Por lo demás, su misma madre practicaba esta religión de la hacienda todos los días, negándose a tirar el pan duro, las sobras de comida, la fruta medio estropeada. «Me da pena», decía la mujer, y se comía el pan duro, las peras pasadas. Y por esta caridad que le inspiraban los restos de comida, como si implorasen la gracia de convertirse en excrementos, corría el peligro de estirar la pata cualquier día.

–¿Y si los primos, que ya se querían cuando vivían con el arcipreste, hubieran seguido queriéndose después de que se casara ella? ¿Y si hubieran decidido deshacerse de Roscio?

–No puede ser –dijo la anciana–. Ya se sabe que el pobre doctor murió por culpa del farmacéutico.

–¿Y si fuera al contrario, que el farmacéutico hubiera muerto por culpa de Roscio?

–No puede ser –dijo de nuevo la anciana.

–Vale, no puede ser. Pero supongámoslo por un momento... ¿Dirías que fue otra obra de caridad?

–Cosas peores se han visto –dijo la anciana sin escandalizarse lo más mínimo; precisamente acababan de llegar a la tumba del farmacéutico Manno, que bajo las alas de un ángel, desde el medallón de esmalte, sonreía como satisfecho de un buen día de caza.

XV

Laurana pasó los cuatro días de fiesta ordenando y poniendo al día sus apuntes para las clases de literatura italiana y latina. Era apasionado y meticuloso en su trabajo, y por eso aquella tarea le hizo casi olvidar el asunto en el que se había visto complicado; y en los momentos en que pensaba en él, lo consideraba con distancia, como una ficción planteada según la técnica, la forma y en parte también la idea de un Graham Greene. Hasta el encuentro en el cementerio con la señora Luisa Roscio, y los pensamientos que dicho encuentro había provocado, habían pasado a formar parte de un ámbito literario, teñido de un negro y católico romanticismo.

Pero cuando reanudó su vida de todos los días, más pesada después de aquellos cuatro días de descanso, tuvo la sorpresa de encontrarse a la viuda Roscio en el coche de línea.

Iba sentada en primera fila y sus enlutadas piernas casi rozaban la portezuela abierta. El asiento de al lado estaba libre, y ella, al responder a su saludo, con una sonrisa tímida e incitante se lo indicó. Laurana tuvo un momento de vacilación: cierta vergüenza, como si sentarse en primera fila con ella fuera ofrecer a todos la prueba de lo que sabía, del deseo y la repulsión que sentía, lo impulsó en el primer momento a buscar una excusa para rehusar. Miró en los asientos del fondo si había algún amigo al que tuviera algo que decir, pero no vio más que campesinos y estudiantes, y además todos los sitios estaban ocupados. Aceptó, pues, dando las gracias; y le dijo la señora que había sido una suerte que el asiento estuviera libre, porque así tendría al lado a alguien con quien hablar, porque sólo hablando se le pasaba la angustia que le daba viajar en autobús, no en coche, por cierto, ni aun en tren; y habló también del buen día que hacía, y del veranillo de san Martín, que parecía de verdad pleno verano, y de la cosecha de aceituna, que era abundante, y de su tío el arcipreste, que no estaba bien... Hablaba con una locuacidad atolondrada y voluble, que hería los oídos. Y realmente tenía Laurana la sensación de que le dolían los oídos, como cuando se desciende rápidamente de una montaña. Pero no descendía de ninguna montaña: descendía del sueño, del malhumor del despertar, del café demasiado claro que su madre le había preparado. Y de esa sensación era también causa la proximidad de ella, que le encendía la sangre, y cuanto más afilada e implacablemente la juzgaba, y más veía lo miserable, lo perversa que era, más doloroso, más físicamente doloroso era el deseo que le provocaban la exuberante gracia de su cuerpo, el mohín de disgusto y ofrecimiento de sus labios, su mata de pelo, su perfume, que disimulaba mal cierto tufillo a cama, a sueño.

Era curioso que antes de la muerte de Roscio la hubiera visto mil veces, mil veces hubiera hablado con ella. Una mujer hermosa, ni que decir tiene, pero como muchas otras, especialmente hoy día en que los cánones de la belleza femenina, gracias a los mitos del cine, son tan amplios y variados que comprenden tanto la fragilidad como la opulencia, tanto el perfil de Aretusa como el perfil del chucho. «Aquí hace falta el convidado de piedra», pensó, «que celebre el banquete»: pues cuando ella le pareció particularmente hermosa, particularmente deseable, fue al verla vestida de luto al pie del gran retrato de su marido, en aquella salita, con aquellas ventanas entornadas, aquella lámpara encendida, aquellos espejos cubiertos con velos negros, que daban a la muerta presencia de Roscio, por la viva presencia de ella, de su cuerpo joven, pleno, consciente de sí, una tétrica aureola de burla. A alimentar y alambicar su excitación vino luego la revelación del crimen: de la pasión, del adulterio, de la fría crueldad con la que todo fue planeado; el mal, en fin, en su encarnarse, en su hacerse oscura y espléndidamente sexo. En este transporte reconocía Laurana el lastre de una antigua educación en el pecado, en la vuelta de tuerca (en el *turn of the screw* propiamente), en el miedo al sexo, del que nunca se había librado y que, antes bien, lo asaltaba con tanta mayor violencia cuanto más aplicaba su mente al riguroso ejercicio de la razón. Se sentía así, y especialmente junto a ella, junto a aquel cuerpo que en las curvas bruscamente tomadas se proyectaba sobre el suyo, como desdoblado o demediado, y las historias de desdoblamientos, que tan sugestivas le resultaban en literatura, las vivía ahora en carne propia.

Cuando se apearon del autobús se quedó Laurana sin saber qué hacer, si despedirse o acompañarla. Permanecieron un momento quietos en medio de la plaza; al cabo la señora, que había perdido de pronto ese aire fatuo que había mostrado todo el viaje y cuyo semblante incluso parecía haberse endurecido, le dijo que venía a la capital por una razón que quería confiarle.

–He descubierto que es cierto que mi marido fue a Roma a ver a ese amigo suyo diputado, para pedirle lo que usted me dijo la tarde, ¿se acuerda?, en que vino a mi casa con mi primo. –Y dijo «primo» haciendo casi una mueca de asco.

–¿Ah, sí? –dijo Laurana turbadísimo, buscando a toda prisa los motivos de aquella imprevisible confianza.

–Sí, lo descubrí casi por casualidad, cuando menos lo esperaba... Porque pensando en lo que usted me dijo recordé cosas, muchos detalles que, puestos juntos, hacían sospechar que era verdad lo que usted supo casualmente... Conque, buscando, buscando, encontré un diario de mi marido, que él llevaba sin saberlo yo... Lo tenía escondido detrás de una fila de libros... Cuando menos me lo esperaba, aunque siguiera dándole vueltas, y así, por casualidad, al coger un libro que me dieron ganas de leer.

–Un diario, llevaba un diario...

–Era una gruesa agenda de esas que regalan a los médicos los laboratorios farmacéuticos... Cada día tres o cuatro líneas, desde el 1 de junio, con esa letra suya de médico que no se entiende; anotaba lo que le parecía importante, sobre todo cosas relacionadas con nuestra hija. Pero de pronto, a principios de abril, empieza a escribir de una persona a la que no nombra...

–¿A la que no nombra? –preguntó Laurana con incrédula ironía.

–No, no la nombra; pero está claro quién es.

–Ah, está claro... –dijo Laurana en un tono que dejaba ver que condescendía a seguirle la corriente pero no a dejarse engañar.

–Claro como el agua, no cabe duda: mi primo.

Laurana no se lo esperaba. Sintió que se ahogaba, respiró anheloso.

–Se lo digo en confianza –siguió diciendo la señora– porque sé cuánto apreciaba a mi marido y lo muy amigos que eran; esto no lo sabe nadie y nadie debe saberlo hasta que tenga pruebas... Y a eso he venido hoy, a buscarlas: sospecho algo.

–Y entonces... –dijo Laurana.

–¿Qué?

Iba a decir que entonces nada tenía ella que ver, que era inocente, que había sospechado injustamente; pero dijo, enrojeciendo:

–Entonces, ¿ya no piensa que a su marido lo mataron por el farmacéutico?

–Eso, en conciencia, aún no puedo decirlo, pero es posible... ¿Y usted?

–¿Yo?

–¿Lo cree usted?

–Creer ¿qué?

–Que el culpable es mi primo, y que el pobre farmacéutico nada pintaba.

–Pues...

–No me oculte nada, por favor; lo necesito a usted tanto... –dijo ella con voz lastimera, clavándole unos ojos luminosos e implorantes.

–Creerlo, lo que se dice creerlo, no, pero hay algunos indicios... vehementes, la verdad... Pero, digo, ¿estaría usted dispuesta a denunciar a su primo?

–¿Y por qué no? Si la muerte de mi marido... Eso sí, necesito su ayuda.

–Me tiene a su disposición –balbució Laurana.

–Para empezar, tiene que prometerme que no dirá a nadie lo que acabo de decirle, ni siquiera a su madre...

–Se lo juro.

–Luego, con lo que usted sabe y lo que yo averigüe hoy, hablamos y acordamos un plan de acción.

–Sí, pero con cuidado, con prudencia, porque una cosa es sospechar...

–Hoy espero saber.

–¿Y cómo?

–No es fácil de explicar, y sería prematuro, además... Yo estaré en la ciudad hasta mañana por la tarde, si no tiene inconveniente podemos vernos entonces... ¿Dónde podríamos quedar?

–Pues... no sé... Vamos, no sé: si a usted no le importa que la vean conmigo...

–No me importa.

–¿En un café?

–En un café, perfecto.

–En el Romeris. No va mucha gente y estaremos más tranquilos.

–¿Como a las siete? ¿A las siete?

–¿No es tarde para usted?

–No, no; además, no creo que termine antes de las siete; entre hoy y mañana me espera una difícil tarea... Pero se lo cuento mañana... A las siete, pues, en el café Romeris... Y después podemos volver juntos al pueblo con el último tren, si no le importa.

–Por mí encantado –dijo Laurana, rojo de felicidad.

–¿Y a su madre qué le dirá?

–Que he tenido que quedarme por cosas del instituto; tampoco es la primera vez.

–¿Me lo promete? –preguntó la señora con una prometedora sonrisa.

–Se lo juro –dijo Laurana inundado de gozo.

–Pues hasta mañana –dijo la otra tendiéndole la mano.

En un arranque de amor y remordimiento se inclinó Laurana como para besársela. Y luego se quedó viéndola alejarse por la plaza llena de azul y de palmeras: estupenda, inocente, valerosa criatura. Y le daban ganas de llorar.

XVI

El café Romeris, de puro estilo modernista, con grandes espejos ornados de calcomanías del león de la quina Bisleri y un *baiser au serpent* que desde la barra en la que estaba tallado parecía prolongar sus tentáculos hasta las patas de sillas y mesas, brazos de lámparas y asas de tazas, vivía ya más en las páginas de cierto escritor de la ciudad, muerto unos treinta años antes, que en la frecuentación de los ciudadanos. La escasa clientela era siempre forastera, gente de la provincia que recordaba su pasado esplendor o personas como Laurana que lo preferían por su tranquilidad y por razones literarias. Y no se sabía por qué el señor Romeris, último vástago de una gloriosa dinastía de pasteleros, lo tenía abierto: quizá también por razones literarias, como homenaje al escritor que lo había frecuentado e inmortalizado.

Laurana llegó a las siete menos diez. Pocas veces había estado en el Romeris a tales horas, pero encontró a las mismas personas que por la mañana y a primeras horas de la tarde: el señor Romeris, en la caja registradora; el barón de Alcozer, medio dormido; su señoría Mosca y su señoría Lumia, magistrados que, habiendo ocupado los más altos cargos, llevaban ya años disfrutando de la jubilación, las partidas de damas, el vaso de marsala y el purito.

Laurana los conocía. Saludó, todos lo reconocieron, incluso el barón, que era el que más tardaba en reconocer a la gente. Su señoría Mosca le preguntó cómo era que venía a una hora tan desacostumbrada. Laurana explicó que había perdido el autobús y debía esperar al tren. Se sentó a una mesa apartada, pidió al señor Romeris que le llevara un coñac. Se levantó trabajosamente el señor Romeris del modernista monumento de latón –tener camarero era un lujo que no podía permitirse–, sirvió el coñac con religiosa parsimonia, se lo llevó a la mesa. Como Laurana había ya sacado un libro de la cartera, quiso el señor Romeris saber cuál era.

–*Cartas de amor* de Voltaire –dijo Laurana.

–Ji, ji –repuso el barón entre risillas–, las *Cartas de amor* de Voltaire.

–¿Las conoce? –preguntó Laurana.

–Amigo mío –contestó el barón–, yo de Voltaire lo conozco todo.

–¿Y quién lee hoy a Voltaire? –preguntó su señoría Lumia.

–Yo –dijo su señoría Mosca.

–Bien, lo leemos nosotros; lo lee, no sé hasta qué punto, aquí nuestro profesor... Pero a juzgar por lo que ocurre hoy día no parece que sea un escritor muy leído, o no al menos como se debiera –dijo su señoría Lumia.

–Bien verdad es –suspiró el barón.

Laurana dejó que la conversación decayera. Por lo demás, en aquel café, con aquellos viejos amigos, se hablaba así: con largas pausas en las que cada cual rumiaba el tema en silencio y dos o tres frases de cuando en cuando. En efecto, al cuarto de hora dijo su señoría Mosca:

–Estos perros no leen ya a Voltaire. –Los perros, en el lenguaje del café Romeris, eran los políticos.

–¿A Voltaire? No leen ni la prensa –añadió el barón.

–Hay marxistas que no han leído una sola línea de Marx –dijo el señor Romeris.

–Y populares –como acostumbraba el barón llamar a los democristianos– que no han leído una página de don Sturzo.

–Uf, don Sturzo –dijo su señoría Mosca con un bufido de hastío.

Se hizo de nuevo el silencio. Eran ya las siete y cuarto. Laurana leía, sin enterarse, una carta de Voltaire, que en italiano sonaba doblemente obscena, echando constantes ojeadas a la puerta. Sabido es que un cuarto de hora, media hora de retraso entran dentro de la normal noción del tiempo que tiene una mujer; no estaba por tanto impaciente; estaba sólo inquieto, con esa inquietud en la que llevaba debatiéndose dos días. Una inquietud jubilosa, aunque contrarrestada por un miedo en el que Luisa (como ya la llamaba para sí) se le aparecía en una atmósfera de juicio final: junto a él y frente a la anciana señora Laurana.

A las ocho menos cuarto el barón de Alcozer dijo al señor Romeris, con clara intención provocadora:

–Y tampoco vuestro Luigi lo leía –refiriéndose al escritor que había hecho inmortal el café y a cuya memoria tributaba el señor Romeris un culto férvido, casi fanático.

El señor Romeris sacó pecho y frente por encima de la caja registradora y dijo:

–¿Y a qué viene ahora eso? Don Luigi lo leía todo, lo sabía todo... Que luego Voltaire no formase parte de su visión del mundo, es otra cuestión.

–Pero, mi querido señor Romeris –dijo su señoría Mosca–, convengo, sí, en que la visión del mundo de don Luigi nada tenía que ver con la de Voltaire, pero lo del telegrama a Mussolini, el fez negro que se ponía...

–Perdone su señoría, pero ¿acaso no juró usted fidelidad al fascismo? –dijo el señor Romeris con los ojos inyectados en sangre, conteniéndose a duras penas.

–Yo no –dijo su señoría Lumia alzando la mano.

–No lo sé –dijo su señoría Mosca.

–Ah, ¿no lo sabes? –dijo su señoría Lumia, ofendido.

–Sí, lo sé; pero fue por casualidad, porque se olvidaron de ti –explicó su señoría Mosca.

–No fue ninguna casualidad, fui yo que me las apañé para no jurar.

–El caso es que para nosotros –dijo su señoría Mosca– era cuestión de vida o muerte: estábamos entre la espada y la pared.

–Don Luigi, en cambio... –dijo el barón con una risilla maliciosa.

–En este país –observó el señor Romeris– nos reconcome la envidia: don Luigi ha escrito cosas que el mundo entero admira, pero para nosotros no es más que el que envió un telegrama a Mussolini y se puso el fez negro... De locos. –Pero nadie recogió la provocación, la ofensa: se conformaban los tres viejos con haber hecho rabiar al amigo.

Laurana se habría divertido mucho en otras circunstancias: ahora la pequeña disputa lo impacientaba, como si fuera la causa del retraso de Luisa. Se levantó, fue a la puerta, la abrió, miró a un lado y otro de la calle. Nada. Volvió a sentarse.

–¿Espera a alguien? –preguntó el señor Romeris.

–No –contestó secamente. «Ya no viene», se dijo, «son casi las ocho.» Pero no perdía la esperanza.

Pidió, con gran sorpresa del señor Romeris, otro coñac.

A las ocho y cuarto le preguntó su señoría Mosca:

–Y el instituto, profesor, ¿cómo va?

–Mal –contestó Laurana.

–¿Y por qué habría de ir bien? –dijo el barón–. Si todo es un desastre, también la educación será un desastre.

–Bien dicho –repuso su señoría Lumia.

A las nueve menos cuarto, la visión de Luisa muerta penetró en el ánimo ansioso de Laurana. Tuvo tentaciones de contarles a aquellos cuatro ancianos, que sin duda tenían más experiencia de la vida, del corazón humano, lo que le ocurría, lo que sentía. Pero el barón de Alcozer, indicando el libro que Laurana había cerrado, dijo:

–Leyendo estas cartas de Voltaire piensa uno en ese refrán nuestro que dice que, en determinadas circunstancias, cierta parte de nuestro cuerpo hace poco caso de los lazos de parentesco... –Y explicó que las cartas iban dirigidas a su sobrina. Su señoría Lumia dijo bien alto y claro el refrán, y el barón precisó que Voltaire usaba el mismo término que en el refrán aludía al estado en el que uno es capaz de saltarse la barrera del parentesco, y en italiano. Y pidió el libro a Laurana para leerles a los amigos las cartas en las que tal término aparecía.

Se rieron mucho, para disgusto de Laurana. «¿Cómo voy a contarles a estos viejos verdes y chochos una preocupación, una pena?» Lo mejor era ir a la policía, contárselo todo a un agente serio, comprensivo... Aunque contarle ¿qué? ¿Que una señora había quedado con él en el café Romeris y no se había presentado? Absurdo. ¿Contarle el motivo de sus temores? Eso pondría en marcha un mecanismo imparable, peligroso. Y, por otra parte, ¿qué sabía él de lo que Luisa había averiguado esos dos días? ¿Y si había hallado pruebas que apuntaban en otra dirección? ¿Y si no había hallado ni pruebas ni nada? ¿Y si la habían llamado a casa por alguna indisposición de la hija o algún imprevisto? ¿Y si en la fiebre de las pesquisas hubiera olvidado la cita?

Pero entre estas posibilidades se abría siempre paso la visión de ella en peligro, de ella muerta.

Anduvo con furia entre la puerta y la barra.

–¿Le preocupa algo? –preguntó el barón interrumpiendo la lectura.

–No, es que llevo aquí ya dos horas.

–Nosotros llevamos años –dijo el barón cerrando el libro y devolviéndoselo.

Laurana lo guardó en la cartera. Miró la hora: las nueve y veinte.

–Mejor será que vaya saliendo para la estación.

–Su tren no sale hasta dentro de tres cuartos de hora –observó el señor Romeris.

–Pasearé un poco, hace buena noche –dijo Laurana. Pagó los dos coñacs, se despidió, salió. Cuando tras él se cerraba la puerta, oyó que su señoría Lumia decía:

–Será que se ha citado con alguna mujer y estará impaciente.

Había poca gente en la calle. Hacía buena noche, aunque fría, ventosa. Lentamente se encaminó hacia la estación, sumido en tétricos pensamientos.

Al salir a la plaza de la estación lo adelantó un coche, se detuvo a unos diez metros con un frenazo, dio marcha atrás. Se abrió la ventanilla, el conductor lo llamó, inclinado sobre el asiento:

–¡Profesor, profesor Laurana!

Laurana se acercó, reconoció a uno del pueblo, aunque no recordó su nombre.

–¿Va a la estación? ¿A coger el tren para el pueblo?

–Sí –dijo Laurana.

–Si quiere, lo llevo –se ofreció el otro.

«Bien me viene», pensó Laurana, «así llego antes y puedo llamar a casa de Luisa, informarme.»

–Gracias –dijo.

Subió delante, con el conductor. El coche salió a toda velocidad.

XVII

–Un tipo cerrado, de pocas palabras, a veces muy susceptible, muy arisco; una de esas personas amables, atentas, incluso afectuosas, pero que saltan por cualquier cosa, una falsa impresión, una palabra mal entendida... Como profesor, ni una queja; competente, cumplidor, concienzudo. Cultura sólida, buen método... Por este lado, repito, ni una queja... Ahora, en cuanto a su vida privada... No quisiera pecar de indiscreto, pero como ser humano, digamos, en la esfera afectiva, a mí me parecía, ¿cómo lo diría?, lleno de complejos, de obsesiones...

–¿Obsesiones?

–Quizá la palabra es un poco fuerte, y desde luego no encaja con la idea que la mayoría tiene de él, de su vida: persona tranquila, ordenada, de buenas costumbres, que expresa sus opiniones con franqueza, con libertad... Pero quien lo conoce bien lo nota a veces lleno de espinas, de rencores... Y con las colegas, con las alumnas, parece un misógino, aunque yo creo que es por timidez.

–Obsesiones, pues, con las mujeres, con el sexo –dijo el comisario.

–Eso creo –aprobó el director del instituto.

–¿Y ayer cómo se comportó?

–Pues como siempre: dio sus clases, charló un rato conmigo, con los colegas. Creo recordar que hablamos de Borgese...

El lápiz del comisario se abatió sobre el cuaderno para anotar aquel nombre.

–¿Por qué? –preguntó.

–¿Por qué hablamos de Borgese? Porque a Laurana se le ha metido últimamente en la cabeza que Borgese ha sido subestimado y hay que hacerle justicia.

–¿Y usted no lo piensa? –preguntó el comisario con una punta de recelo.

–Pues le diré, tendría que releerlo... Su *Rubé* me causó gran impresión, pero hace treinta años, comisario, treinta años...

–Ya –dijo el comisario, y con nerviosos trazos de lápiz hizo desaparecer el Borgese que acababa de escribir.

–Aunque –agregó el director del instituto– puede que de Borgese habláramos anteayer... Ayer... En fin, que no vi nada raro en él ayer.

–Lo que es seguro es que no se quedó a ninguna reunión.

–Segurísimo.

–¿Y por qué le dijo eso a su madre?

–No lo sé. Pero está claro que quería ocultarle algo, y lo único que se puede pensar es que fuera una relación con una mujer, o si no una relación...

–Una cita, un encuentro; ya lo hemos pensado... Pero todavía no hemos logrado reconstruir lo que hizo al salir del restaurante que hay aquí cerca, es decir, desde las dos y media.

–Un alumno suyo –dijo el director– me ha dicho esta mañana que lo vio ayer por la tarde en el café Romeris, sentado a una mesa.

–¿Podría hablar con ese alumno?

El director mandó llamarlo. El muchacho confirmó que la tarde anterior, pasando por el café Romeris, se asomó un momento y vio al profesor Laurana sentado a una mesa, leyendo un libro; serían las ocho menos cuarto, quizá las ocho.

Despidieron al muchacho. El comisario se guardó lápiz y cuaderno y se levantó dando un suspiro.

–Pues vamos al café Romeris, a ver si soluciono pronto esto, que su madre lleva desde las seis de la mañana esperando en la comisaría...

–Pobre mujer... Con lo apegado que estaba a ella –dijo el director.

–Quién sabe –dijo el comisario. Empezaba a hacerse una idea, que vio confirmada en el café Romeris.

–Yo creo –dijo su señoría Lumia– que se había citado con una mujer; estaba impaciente, nervioso.

–Vino a hacer tiempo, y se lo veía emocionado como un mozo en la primera aventura –observó el barón.

–Se equivoca, querido barón: yo creo que estaba citado aquí y que la mujer no vino –repuso el señor Romeris.

–No sé, no sé... –dijo su señoría Mosca–. Que hay una mujer de por medio es seguro... Cuando se fue, dos horas después, no sé quién de nosotros dijo que acudía a una cita galante...

–Fui yo –dijo su señoría Lumia.

–Pero su actitud no era la de quien mata el tiempo hasta la hora de la cita; constantemente levantaba los ojos del libro y miraba la puerta, iba y venía de la puerta a la barra y hasta llegó a asomarse a la calle y mirar a un lado y otro –dijo su señoría Mosca.

–Lo que quiere decir –observó el comisario– que no sabía por dónde llegaría la mujer. De lo que se deduce que tampoco sabía en qué parte de la ciudad vivía.

–No deduzcamos tanto –dijo el barón–; la realidad es siempre más rica e imprevisible de lo que suponemos. Pero si a deducir vamos, le diré que si es cierto que esperaba en este café a una mujer, debía de ser forastera... Porque una de aquí no sale de casa a las siete o las ocho de la tarde para acudir a una cita en un café.

–Salvo que fuese una prostituta –corrigió su señoría Lumia.

–No era de los que van con putas –dijo el señor Romeris.

–Querido señor Romeris, no sabe usted la de personas serias, dignas, cultas, que buscan la compañía de las prostitutas –dijo su señoría Lumia–. Pero la verdad es que una prostituta lo habría citado en su casa o en un hotel; aquí, si acaso, se citan los enamorados.

–El caso –dijo el barón– es el siguiente: tenía una cita aquí, espera dos horas, la mujer no viene, sale del café diciendo que va a la estación, desaparece; o bien:

espera aquí hasta la hora de la cita, acude, desaparece. Si esperaba aquí a la mujer, al ver que no se presenta, porque lo planta o por cualquier otra razón, chasqueado o preocupado, ¿qué puede hacer? Tres cosas: se vuelve a casa y se repudre en la cama con su desengaño o su miedo; va a casa de ella a exigir una explicación y se encuentra con alguien que lo manda al otro mundo; va y se arroja de la muralla o al tren. Como a su casa no volvió, quedan las otras dos posibilidades. Y si aquí vino a matar el tiempo, entonces sólo queda una: que cuando acude a la cita encuentra al marido, al padre, a un hermano que se lo carga, y aviado.

–Pero también podemos barajar una hipótesis menos novelesca, más normal, más natural: que fuera a la cita, se encontrara con la amada y que con ella olvidara a la madre, las clases y a todo Dios... ¿No es posible? –dijo su señoría Mosca.

–No lo creo; un hombre tan tranquilo, tan comedido... –dijo el señor Romeris.

–Sí, es verdad –repuso su señoría Lumia.

El comisario se levantó.

–La cabeza me va a explotar. –El razonamiento del barón, lógico, riguroso, holgaba decirlo, abrió un precipicio a sus pies. ¡A saber la cantidad de mujeres que podían tener con el profesor una aventura ocasional o duradera! Para empezar, todas las alumnas; chicas de entre quince y dieciocho años capaces hoy de cualquier cosa. Y luego las colegas. Y luego las madres de alumnos y alumnas, al menos las que mejor se conservaban, las más atractivas. Y por último las mujeres fáciles, las putas que, como se decía antes, eran «mujeres honradas», y las que costaban poco, las baratas. Aquello no tendría fin. Sólo cabía rogar a Dios que el profesor apareciera entre ese día y el siguiente, como esos gatos que pasan unas noches por los tejados.

Pero el profesor yacía sepultado bajo una montaña de piedras en una azufrera abandonada, a mitad de camino, en línea recta, entre el pueblo y la capital.

XVIII

El 8 de septiembre, día en que se celebraba en el pueblo la fiesta de la Niña María, con la procesión de la imagen de una niña cubierta de oro y perlas, fuegos de artificio, bandas de música que hacían vibrar como diapasones hasta las paredes, primera matanza de cerdos y último empacho de helados, el arcipreste Rosello reanudó la costumbre de recibir en casa a los amigos, en honor justamente de la Niña María, por cuyo altar, en la iglesia mayor, mostraba particular predilección. Era costumbre de muchos años, si bien el anterior se la saltó por el luto que hubo de guardar por la muerte de Roscio. Ahora, habiéndose cumplido en agosto el primer aniversario del trágico suceso, abría de nuevo a la fiesta las puertas de su casa, tanto más cuanto que debía anunciar la boda de su sobrino, el abogado, con su sobrina Luisa: acontecimiento, decía el arcipreste, al que concurrían la maldad de los hombres y los inescrutables designios de Dios, a los cuales él rendía su voluntad.

–Sí, me resigno... –explicaba a don Luigi Corvaia–. Bien sabe Dios si querría yo que se casaran, habiéndose criado en mi casa como hermanos; pero ahora, después del drama, es una obra piadosa... Para con la familia, se entiende... ¿Se podía permitir que mi pobre sobrina, joven, con una hija, pasara sola el resto de la vida? Y por otra parte, con los tiempos que corren, ¿cómo encontrarle un buen marido, un marido que no se case por dinero y que sea tan bueno, tan caritativo, que acepte por propia a la hija? Cosa difícil, Luigino mío, difícil... Por eso mi sobrino, que, la verdad, tenía poca vocación de marido, se ha decidido no diré a sacrificarse, ¡Dios me libre!, pero sí a hacer esta buena y piadosa acción...

–¡Atiza! –exclamó, bramó casi, el coronel Salvaggio, que estaba detrás del arcipreste y oyó la última frase.

Con susto e indignación se volvió el arcipreste, pero al ver que era el coronel sonrió y lo reprendió con blandura:

–Coronel, coronel, usted siempre igual...

–Usted perdone –replicó el coronel–, pero me explico: usted, por ser quien es, lo considera una acción piadosa; pero yo, que soy pecador viejo, lo veo de otro modo. Digo: la señora Luisa es una real moza, y su sobrino el abogado, Dios santo, un hombre. Y un hombre digno de tal nombre, ante una mujer hermosa, atractiva...

Amenazándolo en broma con la mano, el arcipreste se alejó, y el coronel siguió hablando para don Luigi, más libremente.

–Acción piadosa, dice el clerizonte este; con una

mujer por la que yo cometería no sé qué locuras, con una mujer como ésa... –E hizo una seña en dirección a la aludida, que, de elegantísimo medio luto, estaba junto a su primo y prometido; lo advirtió ella, y respondió con una sonrisa, inclinando levemente la cabeza. El coronel sintió un escalofrío, y se acercó a don Luigi para jadearle al oído todo su deseo–. ¿Ve usted qué sonrisa? Sonríe y es como si se desnudase, me entra una cosa... –Y alzando repentinamente el brazo, como si enarbolase un sable, exclamó–: ¡A la carga, por Dios, a la carga!

Al ver que salía disparado, creyó don Luigi que se arrojaba sobre la viuda; pero no: el coronel corría hacia el bufé, donde habían empezado a repartir los helados.

También don Luigi se dirigió allí. Estaban el párroco de Santa Ana, el notario Pecorilla y mujer; también la señora Zerillo. Con medias palabras, con cuchicheos, criticaban a los invitados; como no podía ser menos. Pero don Luigi no estaba de humor y se alejó.

El notario Pecorilla despachó pronto su helado y se le acercó. Salieron al balcón: la calle en fiesta bullía. Don Luigi descargó su malhumor contra la fiesta, y de la fiesta pasó a la Caja del Mediodía, a la Fiat, al gobierno, al Vaticano, a las Naciones Unidas.

–Estamos jodidos –concluyó.

–¿Qué mosca te ha picado? –preguntó el notario.

–Todas –contestó don Luigi.

–Y tú y yo tenemos que hablar –dijo el notario.

–Hablar ¿para qué? –dijo don Luigi con tedio–. Lo que tú sabes lo sé yo y lo saben todos. ¿Para qué hablar?

–Curioso que es uno. Además, tengo que desahogarme con alguien, y si no es contigo, que nos conocemos hace sesenta años, ¿con quién iba a hacerlo? De esto no hablo ni con mi mujer.

–Salgamos –dijo don Luigi.

–Vamos a mi despacho –propuso el notario.

El despacho del notario estaba a dos pasos, en una planta baja. Entraron; el notario encendió la luz, cerró la puerta; se sentaron frente a frente, se observaron sin hablar. Al poco dijo don Luigi:

–Me has traído aquí para hablar; habla.

El notario vaciló; luego, conteniendo la respiración, como si fuera a arrancarse una tira de piel, con decisión y dolor, dijo:

–El pobre farmacéutico no tenía nada que ver.

–¡Vaya descubrimiento! –exclamó don Luigi–. Yo descubrí la verdad antes de que acabaran los tres días de luto.

–¿La descubriste o te la dijeron?

–Me dijeron una cosa que me hizo descubrir lo demás.

–¿Y qué te dijeron?

–Que Roscio supo lo de su mujer y el primo; los pilló juntos.

–Sí, de eso mismo me enteré yo, quizá después que tú, pero me enteré.

–Yo lo supe enseguida porque la mujer que sirve

en casa de Roscio es la madre de la que sirve en casa de mi tía Clotilde.

–Ah, claro... Pero y digo yo, ¿qué hizo Roscio al ver a su mujer en, digamos, íntimo coloquio con el otro?

–Nada: dio media vuelta y se fue.

–¡Qué me dices! ¿Y no se los cargó? Si soy yo, hago una matanza.

–Menos cuento... Aquí, en la tierra de los celos y el honor, tenemos los más perfectos ejemplares de cornudos... Además, lo bueno es que el pobre doctor amaba perdidamente a su mujer.

–Yo te cuento el resto porque lo sé de primera mano. Me lo refirió el sacristán de la iglesia mayor, pero ni una palabra...

–Ya me conoces, no hablo ni bajo tortura.

–Te cuento: Roscio se estuvo callado un mes, hasta que un día se presentó al arcipreste, le contó lo que había descubierto y le puso un ultimátum: o echaba al sobrino del pueblo para siempre, o entregaba a un amigo suyo, diputado comunista, ciertos documentos que mandarían al amante de su mujer directamente a la cárcel.

–¿Y cómo consiguió esos documentos?

–Al parecer fue al bufete de Rosello un día en que no estaba... El pasante, un joven, le dejó entrar; sabía que el abogado estaba fuera, que no volvería, pero Roscio afirmó que tenía cita. Eran más de las doce, el muchacho tenía que irse a comer, no sabía cómo estaban las relaciones entre el abogado y el doctor Roscio, creía que eran íntimos... En fin, que se fue y lo dejó solo, y Roscio fotografió lo que quiso... Y digo que lo fotografió porque Rosello no advirtió nada, ni supo nada hasta que Roscio habló con el arcipreste. Y entonces, cuando se enteró por el arcipreste de que Roscio tenía documentos, Rosello corrió a preguntarle al pasante. El chico se acordaba de la visita del doctor, le dijo que lo había dejado en el bufete, solo. Rosello tuvo un ataque de nervios, le dio de bofetadas, lo despidió; pero luego recapacitó, fue a buscarlo, le explicó que había perdido los nervios porque Roscio le reprochó haberlo hecho esperar tontamente, y era por un asunto importante; le dio diez mil liras y le dijo que volviera al trabajo...

—¿Esto también te lo ha contado el sacristán?

—No, esto lo he sabido por el padre del chico.

—¿Y cómo es que Rosello tenía así, al alcance de cualquiera, documentos tan importantes?

—Eso no lo sé, a lo mejor Roscio tenía otra llave; además, Rosello lleva tantos años haciendo su real gana sin problemas que quizá se creía seguro, intocable... Por eso cuando el tío le comunicó el chantaje de Roscio, hubiera querido meterse bajo tierra.

—No me extraña —comentó don Luigi—. Pero mi tía Clotilde cree que a Roscio se lo cargaron porque los adúlteros estaban ya cansados de esconderse, de fingir... Un crimen pasional, vamos.

—¿Pasional?, ¡y un cuerno! —exclamó el notario—. Ésos estaban ya acostumbrados, llevaban liados desde que eran críos y venían aquí de vacaciones, y antes se escondían del arcipreste y luego del marido, y hasta puede que eso los divirtiera; el morbo de lo prohibido, del riesgo...

Se interrumpió porque llamaban a la puerta: golpes leves, seguidos.

–¿Quién será? –preguntó el notario extrañado.

–Abre a ver –dijo don Luigi.

El notario abrió. Era el señor Zerillo.

–¿Qué? ¿Os vais de la fiesta para encerraros aquí?

–Eso mismo –dijo el notario con frialdad.

–¿Y de qué estabais hablando?

–Del tiempo –dijo don Luigi.

–Dejemos el tiempo, que de momento es bueno y mejor no hablar... Seré claro: yo si no hablo con alguien reviento, y vosotros hablabais precisamente de lo mismo que llevo yo aquí. –Y se puso la mano abierta sobre la boca del estómago, contrayendo la cara como si le dieran terribles retortijones.

–Si va usted a reventar, adelante, hable; le escuchamos –dijo don Luigi.

–¿Y ustedes no hablarán?

–¿Hablar de qué? –preguntó el notario con aire ingenuo.

–Las cartas boca arriba: ustedes estaban hablando de la boda, de Roscio, del farmacéutico...

–Ni por pienso –dijo el notario.

–... y del pobre profesor Laurana –continuó el señor Zerillo–, que ha desaparecido como Antonio Patò en el *Mortorio*.

Cincuenta años atrás, durante una de las representaciones del *Mortorio* –esto es, de la Pasión de Cristo según el Cavalier d'Orioles–, Antonio Patò, que interpretaba a Judas, desapareció por la trampilla que se abrió al efecto, tal como exigía el papel y tal como había ocurrido cientos de veces en anteriores ensayos y representaciones, sólo que desde ese día (y esto no estaba en el papel) nadie volvió a saber de él, y el caso pasó a ser antecedente proverbial de desapariciones misteriosas de personas u objetos. La alusión, pues, a Patò, produjo hilaridad en don Luigi y en el notario; pero al punto, reportándose, pusieron de nuevo cara seria, inocente, preocupada, y evitando mirar a Zerillo preguntaron:

–¿Y qué tiene que ver Laurana?

–Pobres ilusos –repuso con amable ironía el señor Zerillo–, pobres ilusos que no sabéis nada, que no entendéis nada... Tomad, chupad este dedito, chupadlo. –Y acercó primero a la boca del notario y luego a la de don Luigi la mano cerrada con el dedo meñique tieso, como en tiempos menos asépticos que los nuestros hacían las madres a los hijos cuando les salían los dientes.

Rieron los tres. Luego Zerillo dijo:

–He sabido una cosa, pero debe quedar entre nosotros, cuidado... Una cosa sobre Laurana...

–Era un necio –dijo don Luigi.